# 사고력을 키우는

# 팩토
# 연산

A05
(두 자리 수) − (한 자리 수)

 매스티안

# 구성과 특징

## 1주 연산 원리 학습

붙임 딱지 등의 활동으로
연산 원리를 재미있게 체득

## 2주 연산 응용 학습

연산 원리를 응용한 문제를
풀어 보며 문제해결력 신장

+

## 정답

아이와 자연스럽게 학습을 시작할 수
있도록 스토리텔링 방식 도입

아이들이 배우는 연산 원리에 대한
학습가이드 제시

---

연산 실력 체크 진단 + 보충 온라인 보충 학습          온라인 활동지

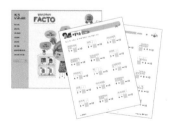

2~4주차 사고력 연산을
학습하기 전에 연산 실력 체크

매스티안 홈페이지에서 제공하는
보충 학습으로 연산 원리 다지기

매스티안 홈페이지에서 제공하는
활동지로 사고력 연산 이해도 향상

## 4주 사고력 학습 2

연산 원리를 바탕으로 한 사고력 연산
문제를 풀어 보며 수학적 사고력과 창의력 향상

## 3주 사고력 학습 1

연산 원리를 바탕으로 한 사고력 연산
문제를 풀어 보며 수학적 사고력과 창의력 향상

### • 3, 4주차 1일 학습 흐름 •

→

→

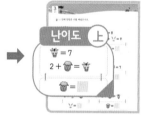

→

특정 주제를 쉬운 문제부터 목표 문제까지 차근차근
학습할 수 있도록 설계 되어 있어 자기주도학습 가능

### ✦ App Game 팩토 연산 SPEED UP

앱스토어에서 무료로 다운받은
**팩토 연산 SPEED UP**으로 덧셈, 뺄셈,
곱셈, 나눗셈의 연산 속도와 정확성 향상

### ✦ 부록 칭찬 붙임 딱지, 상장

학습 동기 부여를 위한
칭찬 붙임 딱지와 연산왕 상장

# 사고력을 키우는 팩토 연산 시리즈

## P | 권장 학년 : 7세, 초1 |

| 권별 | 학습 주제 | 교과 연계 |
|------|-----------|-----------|
| P01 | 10까지의 수 | ❶학년 1학기 |
| P02 | 작은 수의 덧셈 | ❶학년 1학기 |
| P03 | 작은 수의 뺄셈 | ❶학년 1학기 |
| P04 | 작은 수의 덧셈과 뺄셈 | ❶학년 1학기 |
| P05 | 50까지의 수 | ❶학년 1학기 |

## A | 권장 학년 : 초1, 초2 |

| 권별 | 학습 주제 | 교과 연계 |
|------|-----------|-----------|
| A01 | 100까지의 수 | ❶학년 2학기 |
| A02 | 덧셈구구 | ❶학년 2학기 |
| A03 | 뺄셈구구 | ❶학년 2학기 |
| A04 | (두 자리 수)+(한 자리 수) | ❷학년 1학기 |
| A05 | (두 자리 수)−(한 자리 수) | ❷학년 1학기 |

## B | 권장 학년 : 초2, 초3 |

| 권별 | 학습 주제 | 교과 연계 |
|------|-----------|-----------|
| B01 | 세 자리 수 | ❷학년 1학기 |
| B02 | (두 자리 수)+(두 자리 수) | ❷학년 1학기 |
| B03 | (두 자리 수)−(두 자리 수) | ❷학년 1학기 |
| B04 | 곱셈구구 | ❷학년 2학기 |
| B05 | 큰 수의 덧셈과 뺄셈 | ❸학년 1학기 |

## C | 권장 학년 : 초3, 초4 |

| 권별 | 학습 주제 | 교과 연계 |
|------|-----------|-----------|
| C01 | 나눗셈구구 | ❸학년 1학기 |
| C02 | 두 자리 수의 곱셈 | ❸학년 2학기 |
| C03 | 혼합 계산 | ❹학년 1학기 |
| C04 | 큰 수의 곱셈과 나눗셈 | ❹학년 1학기 |
| C05 | 분수·소수의 덧셈과 뺄셈 | ❹학년 1학기 |

# A05 (두 자리 수)-(한 자리 수) 목차

A05권에서는 A03권의 뺄셈구구에 이어 (두 자리 수) − (한 자리 수)의 계산을 학습합니다.
보통 필산으로 계산할 때에는 일의 자리부터 계산하지만 여기에서 배우는 (두 자리 수) − (한 자리 수)는 머리셈의 계산 원리를 이용하여 받아내림이 없는 뺄셈에서 받아내림이 있는 뺄셈으로, 가로셈에서 세로셈으로 순차적으로 알아봅니다.

| **1일차** | 받아내림이 없는 뺄셈 |
|---|---|
| $65 - 3 = \boxed{62}$ | 받아내림이 없는 (두 자리 수) − (한 자리 수)를 학습합니다. |

| **2일차** | 몇십에서의 뺄셈 |
|---|---|
| $80 - 8 = \boxed{72}$ | 받아내림이 있는 (몇십) − (몇)을 학습합니다. |

**학습관리표**

| 일 자 | | | 소요 시간 | 틀린 문항 수 | 확인 |
|---|---|---|---|---|---|
| **❶ 일차** | 월 | 일 | : | | |
| **❷ 일차** | 월 | 일 | : | | |
| **❸ 일차** | 월 | 일 | : | | |
| **❹ 일차** | 월 | 일 | : | | |
| **❺ 일차** | 월 | 일 | : | | |

# 1 주

🌷 붙임 딱지를 붙이며 뺄셈을 하시오.

준비물 ▶ 붙임 딱지

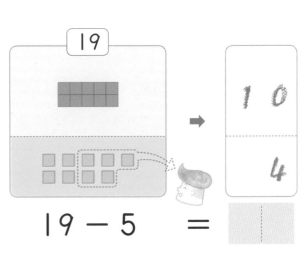

$$19 - 5 \quad =$$

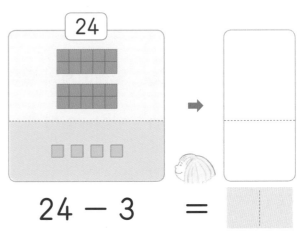

$$24 - 3 \quad =$$

⚘ ▨ 안에 알맞은 수를 써넣어 뺄셈을 하시오.

○ 보기 ○

$10 - \boxed{\phantom{0}} = \mathbf{1\,0}$

$6 - 2 = \mathbf{4}$

$16 - 2 = \mathbf{1\,4}$

---

$10 - \boxed{\phantom{0}} = \phantom{00}$

$5 - 3 = \phantom{0}$

$15 - 3 = \phantom{00}$

---

$20 - \boxed{\phantom{0}} = \phantom{00}$

$7 - 4 = \phantom{0}$

$27 - 4 = \phantom{00}$

---

$30 - \boxed{\phantom{0}} = \phantom{00}$

$6 - 1 = \phantom{0}$

$36 - 1 = \phantom{00}$

---

$40 - \boxed{\phantom{0}} = \phantom{00}$

$9 - 2 = \phantom{0}$

$49 - 2 = \phantom{00}$

---

$50 - \boxed{\phantom{0}} = \phantom{00}$

$8 - 5 = \phantom{0}$

$58 - 5 = \phantom{00}$

**1** 일차

♀ '십의 자리 → 일의 자리' 순서로 계산하시오.

그대로

$27 - 3 = \boxed{2 \mid \ }$ ➡ $27 - 3 = \boxed{2 \mid 4}$

$7 - 3$

그대로

$15 - 2 = \boxed{1 \mid \ }$

$5 - 2$

그대로

$26 - 4 = \boxed{\ \mid \ }$

$6 - 4$

$38 - 3 = \boxed{\ \mid \ }$

$35 - 5 = \boxed{\ \mid \ }$

$59 - 1 = \boxed{\ \mid \ }$

$68 - 4 = \boxed{\ \mid \ }$

$48 - 5 = \boxed{\ \mid \ }$

$77 - 2 = \boxed{\ \mid \ }$

54 − 2 =

69 − 3 =

75 − 1 =

59 − 4 =

44 − 4 =

83 − 2 =

65 − 3 =

48 − 5 =

79 − 4 =

97 − 3 =

68 − 2 =

86 − 2 =

📍 뺄셈을 하시오.

14 − 3 =

29 − 2 =

27 − 6 =

38 − 5 =

36 − 2 =

24 − 1 =

48 − 4 =

57 − 3 =

37 − 1 =

42 − 2 =

59 − 8 =

68 − 5 =

1

47 − 3 =

64 − 2 =

78 − 2 =

55 − 4 =

69 − 5 =

87 − 3 =

56 − 1 =

79 − 2 =

97 − 4 =

85 − 4 =

78 − 6 =

99 − 2 =

오늘은 얼마나 잘했을까요?
칭찬 붙임 딱지를
붙여 주세요!

# 몇십에서의 뺄셈

🌷 붙임 딱지를 붙이며 뺄셈을 하시오.

준비물 ▶ 붙임 딱지

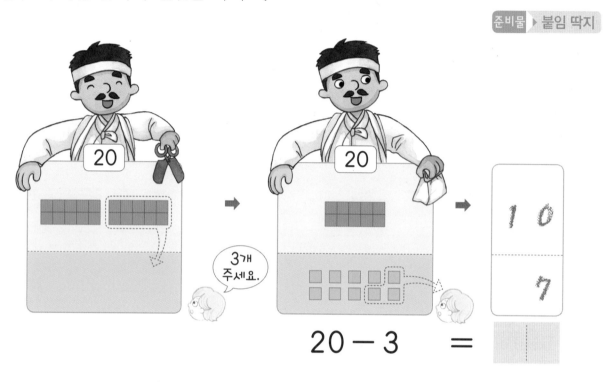

$$20 - 3 =$$

$$30 - 4 =$$

👤 ▨ 안에 알맞은 수를 써넣어 뺄셈을 하시오.

○ 보기 ○

$20 - \boxed{\phantom{0}} = 2\ 0$
$10 - 6 = \phantom{0}4$
────────────
$30 - 6 = 2\ 4$

$10 - \boxed{\phantom{0}} = \phantom{000}$
$10 - 8 = \phantom{00}$
────────────
$20 - 8 = \phantom{000}$

$30 - \boxed{\phantom{0}} = \phantom{000}$
$10 - 2 = \phantom{00}$
────────────
$40 - 2 = \phantom{000}$

$20 - \boxed{\phantom{0}} = \phantom{000}$
$10 - 5 = \phantom{00}$
────────────
$30 - 5 = \phantom{000}$

$40 - \boxed{\phantom{0}} = \phantom{000}$
$10 - 9 = \phantom{00}$
────────────
$50 - 9 = \phantom{000}$

$50 - \boxed{\phantom{0}} = \phantom{000}$
$10 - 7 = \phantom{00}$
────────────
$60 - 7 = \phantom{000}$

1
A05

**오** '십의 자리 → 일의 자리' 순서로 계산하시오.

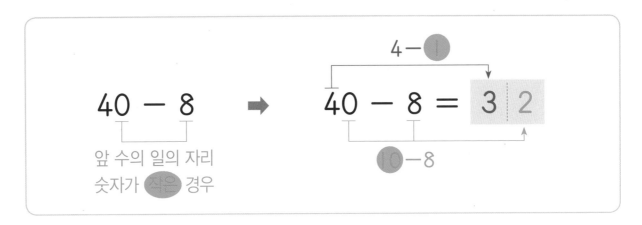

$\overset{\overbrace{\quad 3-1 \quad}}{30} - 7 = \boxed{2\ \ }$
$10-7$

$\overset{\overbrace{\quad 2-1 \quad}}{20} - 6 = \boxed{\quad}$
$10-6$

$40 - 2 = \boxed{\quad}$

$30 - 3 = \boxed{\quad}$

$50 - 1 = \boxed{\quad}$

$60 - 5 = \boxed{\quad}$

$40 - 4 = \boxed{\quad}$

$70 - 9 = \boxed{\quad}$

$60 - 4 =$ ☐

$70 - 1 =$ ☐

$50 - 2 =$ ☐

$60 - 6 =$ ☐

$80 - 8 =$ ☐

$40 - 5 =$ ☐

$70 - 3 =$ ☐

$90 - 9 =$ ☐

$90 - 6 =$ ☐

$80 - 4 =$ ☐

$60 - 7 =$ ☐

$90 - 2 =$ ☐

1
A05

💡 뺄셈을 하시오.

30 − 2 =               20 − 5 =

40 − 7 =               50 − 9 =

20 − 4 =               40 − 2 =

60 − 2 =               30 − 6 =

50 − 5 =               60 − 3 =

70 − 8 =               50 − 1 =

60 − 9 =

80 − 3 =

50 − 7 =

30 − 5 =

80 − 1 =

90 − 4 =

60 − 5 =

20 − 2 =

70 − 4 =

80 − 6 =

40 − 8 =

90 − 1 =

# 받아내림이 있는 뺄셈

❧ 붙임 딱지를 붙이며 뺄셈을 하시오.

준비물 ▶ 붙임 딱지

$$23 - 8 \quad =$$

$$34 - 5 \quad =$$

✿　　　 안에 알맞은 수를 써넣어 뺄셈을 하시오.

○ 보기 ○

$$20 - \boxed{\phantom{0}} = \mathbf{2\ 0}$$
$$14 - 9 = \mathbf{5}$$
$$34 - 9 = \mathbf{2\ 5}$$

$$10 - \boxed{\phantom{0}} = \boxed{\phantom{00}}$$
$$11 - 7 = \boxed{\phantom{0}}$$
$$21 - 7 = \boxed{\phantom{00}}$$

$$20 - \boxed{\phantom{0}} = \boxed{\phantom{00}}$$
$$15 - 6 = \boxed{\phantom{0}}$$
$$35 - 6 = \boxed{\phantom{00}}$$

$$30 - \boxed{\phantom{0}} = \boxed{\phantom{00}}$$
$$12 - 4 = \boxed{\phantom{0}}$$
$$42 - 4 = \boxed{\phantom{00}}$$

$$40 - \boxed{\phantom{0}} = \boxed{\phantom{00}}$$
$$12 - 9 = \boxed{\phantom{0}}$$
$$52 - 9 = \boxed{\phantom{00}}$$

$$50 - \boxed{\phantom{0}} = \boxed{\phantom{00}}$$
$$13 - 8 = \boxed{\phantom{0}}$$
$$63 - 8 = \boxed{\phantom{00}}$$

**3**
일차

○ '십의 자리 → 일의 자리' 순서로 계산하시오.

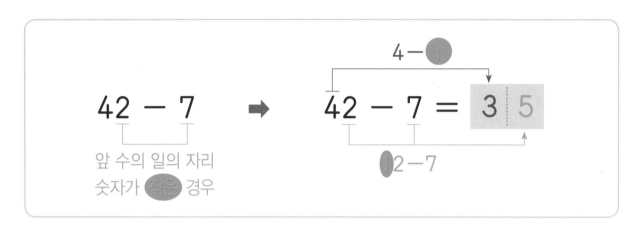

$$4 - 1$$
$$\overline{2}5 - 8 = \boxed{1}$$
$$15 - 8$$

$$3 - 1$$
$$\overline{3}4 - 6 = $$
$$14 - 6$$

$$\overline{3}1 - 2 = $$

$$\overline{4}3 - 9 = $$

$$45 - 9 = $$

$$32 - 4 = $$

$$53 - 8 = $$

$$61 - 7 = $$

$41 - 3 =$ 

$72 - 7 =$ 

$65 - 8 =$ 

$22 - 9 =$ 

$83 - 6 =$ 

$41 - 9 =$ 

$63 - 8 =$ 

$92 - 7 =$ 

$85 - 7 =$ 

$73 - 9 =$ 

$96 - 9 =$ 

$64 - 5 =$

😊 뺄셈을 하시오.

$32 - 7 =$ ☐

$21 - 4 =$ ☐

$45 - 8 =$ ☐

$52 - 7 =$ ☐

$27 - 9 =$ ☐

$62 - 8 =$ ☐

$51 - 3 =$ ☐

$46 - 9 =$ ☐

$42 - 6 =$ ☐

$33 - 5 =$ ☐

$61 - 9 =$ ☐

$72 - 7 =$ ☐

62 − 9 =

54 − 8 =

73 − 6 =

81 − 3 =

35 − 7 =

75 − 9 =

94 − 9 =

65 − 7 =

41 − 8 =

82 − 6 =

74 − 5 =

95 − 8 =

# 100보다 작은 수에서의 뺄셈

🌷 붙임 딱지를 붙이며 뺄셈을 하시오.

준비물 ▶ 붙임 딱지

$40 - 8 =$

$42 - 9 =$

안에 알맞은 수를 써넣어 뺄셈을 하시오.

○ 보기 ○

30 -    = 3 0
5 - 1 =    4
―――――――――――――
35 - 1 = 3 4

40 -    =
8 - 3 =
―――――――――――
48 - 3 =

1
A05

40 -    =
10 - 6 =
―――――――――――
50 - 6 =

60 -    =
12 - 9 =
―――――――――――
72 - 9 =

30 -    =
14 - 9 =
―――――――――――
44 - 9 =

70 -    =
16 - 8 =
―――――――――――
86 - 8 =

**⊙** '십의 자리 → 일의 자리' 순서로 계산하시오.

그대로

38 − 6 = 3⎥        8−6

그대로

49 − 3 =        9−3

54 − 1 =

77 − 6 =

68 − 4 =

87 − 5 =

89 − 1 =

96 − 2 =

56 − 9 ➡ 
$$5 - 1$$
$$56 - 9 = \boxed{4 \mid 7}$$
$$6 - 9$$

앞 수의 일의 자리
숫자가 작은 경우

1

A05

$$4 - 1$$
$$42 - 5 = \boxed{3 \mid}$$
$$12 - 5$$

$$5 - 1$$
$$53 - 8 = \boxed{\phantom{0} \mid}$$
$$13 - 8$$

$$67 - 9 = \boxed{\phantom{0} \mid}$$

$$75 - 7 = \boxed{\phantom{0} \mid}$$

$$81 - 8 = \boxed{\phantom{0} \mid}$$

$$36 - 9 = \boxed{\phantom{0} \mid}$$

$$93 - 7 = \boxed{\phantom{0} \mid}$$

$$84 - 6 = \boxed{\phantom{0} \mid}$$

**4** 일차

🌻 뺄셈을 하시오.

39 − 4 =

41 − 8 =

62 − 5 =

50 − 2 =

45 − 9 =

76 − 3 =

61 − 7 =

65 − 8 =

70 − 6 =

97 − 9 =

85 − 3 =

51 − 4 =

74 − 6 =

60 − 7 =

42 − 3 =

85 − 5 =

91 − 9 =

34 − 8 =

87 − 2 =

63 − 9 =

74 − 7 =

85 − 6 =

93 − 4 =

95 − 8 =

오늘은 얼마나 잘했을까요?

칭찬 붙임 딱지를
붙여 주세요!

# 세로셈

🌷 붙임 딱지를 붙이며 뺄셈을 하시오.

준비물 ▶ 붙임 딱지

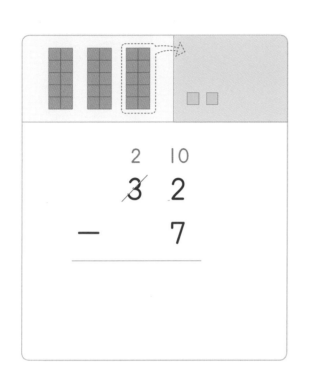

→

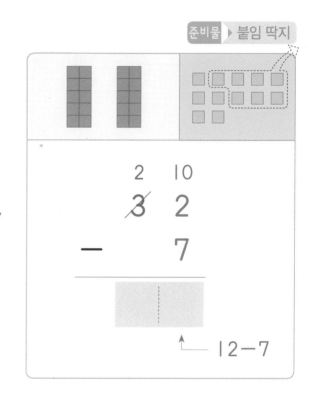

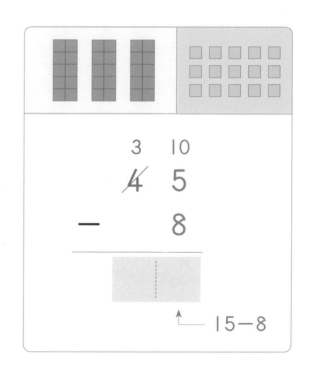

일의 자리, 십의 자리를 맞추어 뺄셈을 하시오.

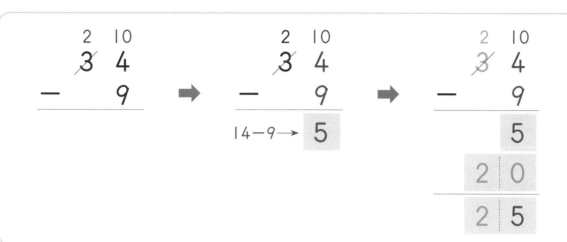

$$\begin{array}{r} \overset{2}{\cancel{3}}\ \overset{10}{4} \\ -\ \ 9 \\ \hline \end{array} \rightarrow \begin{array}{r} \overset{2}{\cancel{3}}\ \overset{10}{4} \\ -\ \ 9 \\ \hline 14-9 \rightarrow 5 \end{array} \rightarrow \begin{array}{r} \overset{2}{\cancel{3}}\ \overset{10}{4} \\ -\ \ 9 \\ \hline 5 \\ 2\ 0 \\ \hline 2\ 5 \end{array}$$

$$\begin{array}{r} \overset{1}{\cancel{2}}\ \overset{10}{5} \\ -\ \ 9 \\ \hline \end{array} \qquad \begin{array}{r} 4\ 3 \\ -\ \ 5 \\ \hline \end{array} \qquad \begin{array}{r} 3\ 1 \\ -\ \ 8 \\ \hline \end{array}$$

$$\begin{array}{r} 5\ 4 \\ -\ \ 7 \\ \hline \end{array} \qquad \begin{array}{r} 6\ 2 \\ -\ \ 4 \\ \hline \end{array} \qquad \begin{array}{r} 8\ 2 \\ -\ \ 6 \\ \hline \end{array}$$

1 A05

**5** 일차

⭕ 일의 자리, 십의 자리를 맞추어 뺄셈을 하시오.

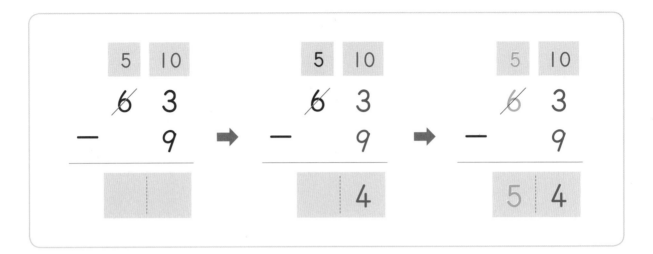

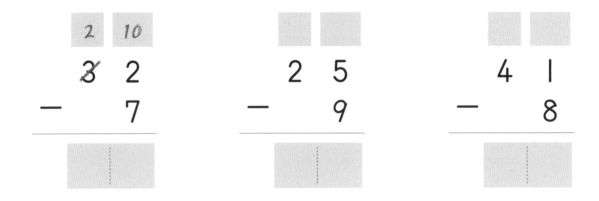

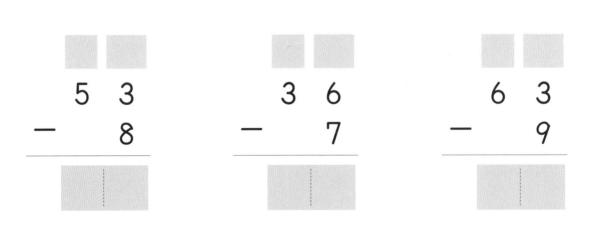

```
   □ □              □ □              □ □
   4 2              7 1              5 0
 -   8            -   4            -   2
 ─────            ─────            ─────
   □┊□              □┊□              □┊□
```

```
   □ □              □ □              □ □
   6 4              8 3              9 1
 -   9            -   6            -   7
 ─────            ─────            ─────
   □┊□              □┊□              □┊□
```

```
   □ □              □ □              □ □
   8 2              9 5              7 2
 -   8            -   9            -   3
 ─────            ─────            ─────
   □┊□              □┊□              □┊□
```

## 5
일차

💡 뺄셈을 하시오.

```
    3 1              5 3              4 5
  -   5            -   9            -   7
  ───────          ───────          ───────
```

```
    5 4              2 2              6 2
  -   8            -   4            -   9
  ───────          ───────          ───────
```

```
    4 0              6 6              7 4
  -   4            -   8            -   7
  ───────          ───────          ───────
```

```
    5 5
  -   9
  ───────
```

```
    7 6
  -   7
  ───────
```

```
    6 2
  -   3
  ───────
```

```
    7 2
  -   4
  ───────
```

```
    4 3
  -   8
  ───────
```

```
    9 0
  -   4
  ───────
```

```
    8 3
  -   8
  ───────
```

```
    9 3
  -   9
  ───────
```

```
    8 4
  -   6
  ───────
```

🐥 2~4주 사고력 연산을 학습하기 전에 기본 연산 실력을 점검해 보세요.

1. $28 - 3 =$

2. $46 - 6 =$

3. $35 - 4 =$

4. $40 - 5 =$

5. $60 - 7 =$

6. $80 - 1 =$

7. $42 - 9 =$

8. $35 - 6 =$

9. $21 - 5 =$

10. $47 - 9 =$

11. $39 - 2 =$

12. $60 - 4 =$

13. $54 - 7 =$

14. $73 - 5 =$

15. $68 - 3 =$

16. $43 - 7 =$

17. $80 - 6 =$

18. $34 - 9 =$

19. $94 - 5 =$

20. $82 - 4 =$

21. $55 - 5 =$

22. $63 - 9 =$

23. $71 - 3 =$

24. $99 - 8 =$

25.
```
   2 5
 -   3
───────
```

26.
```
   4 7
 -   4
───────
```

27.
```
   7 4
 -   2
───────
```

28.
```
   3 0
 -   1
───────
```

29.
```
   6 0
 -   3
───────
```

30.
```
   5 0
 -   6
───────
```

31.
```
   6 2
 -   9
───────
```

32.
```
   5 3
 -   7
───────
```

33.
```
   7 2
 -   8
───────
```

34.
```
   8 3
 -   5
───────
```

35.
```
   7 2
 -   6
───────
```

36.
```
   9 4
 -   9
───────
```

**37.**

$$\begin{array}{r} 4\ 2 \\ -\quad 7 \\ \hline \end{array}$$

**38.**

$$\begin{array}{r} 9\ 2 \\ -\quad 5 \\ \hline \end{array}$$

**39.**

$$\begin{array}{r} 7\ 8 \\ -\quad 9 \\ \hline \end{array}$$

## 연산 실력 분석

오답 수에 맞게 학습을 진행하시기 바랍니다.

| 평가 | 오답 수 | 학습 방법 |
|---|---|---|
| 최고예요 | 0 ~ 2개 | 전반적으로 학습 내용에 대해 정확히 이해하고 있으며 매우 우수합니다. 기본 연산 문제를 자신 있게 풀 수 있는 실력을 갖추었으므로 이제는 사고력을 향상시킬 차례입니다. 2주차부터 차근차근 학습을 진행해 보세요.  학습 [2주차] → [3주차] → [4주차] |
| 잘했어요 | 3 ~ 4개 | 기본 연산 문제를 전반적으로 잘 이해하고 풀었지만 약간의 실수가 있는 것 같습니다. 틀린 문제를 다시 한 번 풀어 보고, 문제를 차근차근 푸는 습관을 갖도록 노력해 보세요. 매스티안 홈페이지에서 제공하는 보충 학습으로 연산 실력을 향상시킨 후 2, 3, 4주차 학습을 진행해 주세요.  학습 [틀린 문제 복습] → [보충 학습] → [2주차] → … |
| 노력해요 | 5개 이상 | 개념을 정확하게 이해하고 있지 않아 연산을 하는데 어려움이 있습니다. 개념을 이해하고 연산 문제를 반복해서 연습해 보세요. 매스티안 홈페이지에서 제공하는 보충 학습이 연산 실력을 향상시키는데 도움이 될 것입니다. 여러분도 곧 연산왕이 될 수 있습니다. 조금만 힘을 내 주세요.  학습 [1주차 원리 중심 복습] → [보충 학습] → [2주차] → … |

매스티안 홈페이지 : www.mathtian.com

학습관리표

| 일 자 | | | 소요 시간 | 틀린 문항 수 | 확인 |
|---|---|---|---|---|---|
| ❶ 일차 | 월 | 일 | : | | |
| ❷ 일차 | 월 | 일 | : | | |
| ❸ 일차 | 월 | 일 | : | | |
| ❹ 일차 | 월 | 일 | : | | |
| ❺ 일차 | 월 | 일 | : | | |

# 2주

# 1

일차

## 수 상자 셈

❁ ☆ 안에 알맞은 수를 써넣으시오.

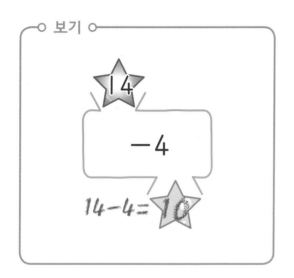

보기

14

−4

14−4=10

16

−3

30

−8

34

−7

42

−6

54

−9

🔘 빈 곳에 알맞은 수를 써넣으시오.

◯ 보기 ◯

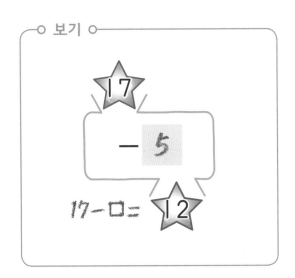

17 − ☐ = 12

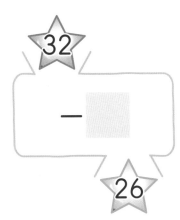

사고력을 키우는 팩토 연산 · 45

## ☆ 안에 알맞은 수를 써넣으시오.

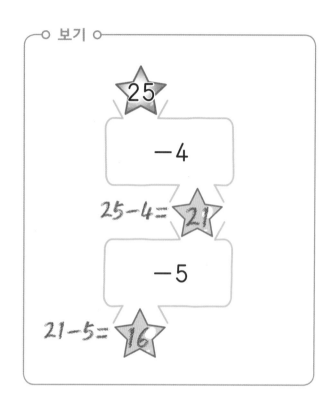

보기

25

−4

25−4= 21

−5

21−5= 16

37

−7

−6

46

−3

−8

70

−9

−7

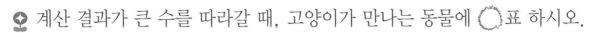

계산 결과가 큰 수를 따라갈 때, 고양이가 만나는 동물에 ◯표 하시오.

## 2 일차

# 뺄셈 로봇

❧ 뺄셈 로봇이 통과했을 때의 결과를 빈 곳에 써넣으시오.

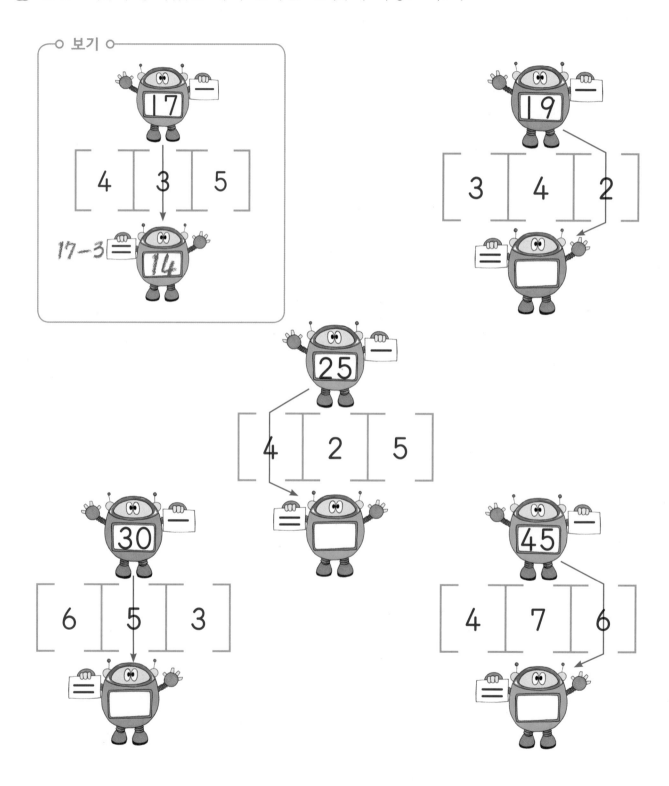

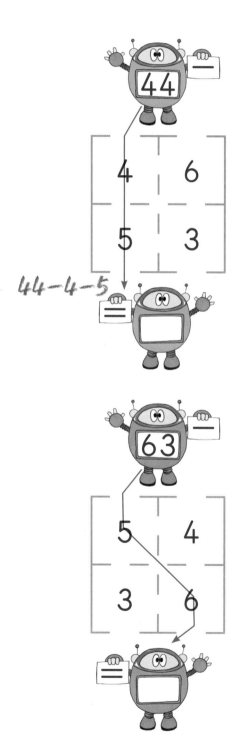

44-4-5

2
A05

뺄셈 로봇이 통과한 길을 표시하시오.

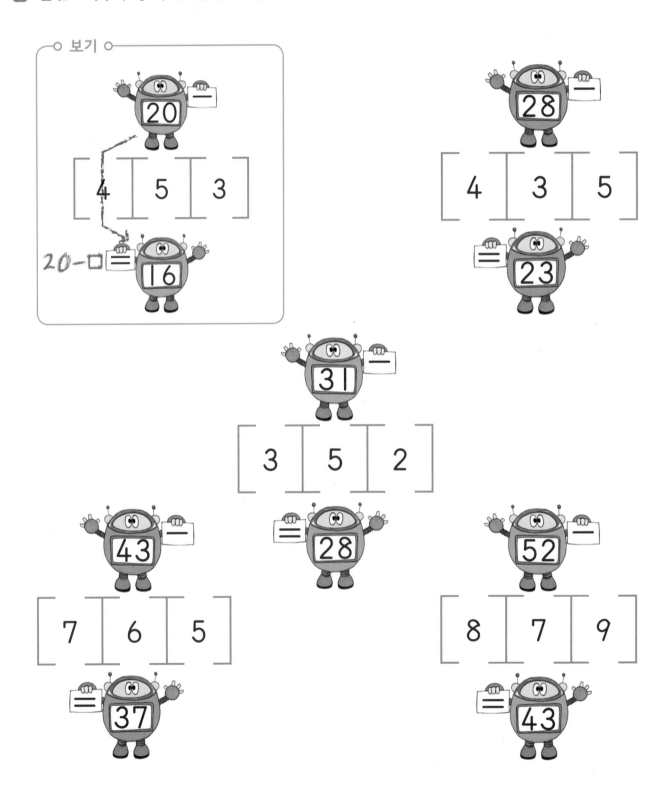

○ 보기 ○

20-□

뺄셈을 하여 친구들이 입은 옷을 색칠해 보시오.

준비물 ▶ 색연필

2

A05

# 3

일차

규칙 셈

🌷 규칙을 찾아 ▨ 안에 알맞은 수를 써넣으시오.

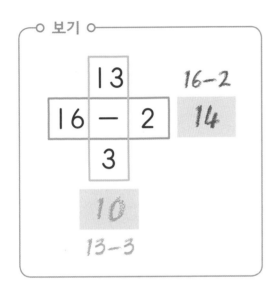

○ 보기 ○

```
      13
  16 - 2     16-2
             14
      3

      10
    13-3
```

```
      26      20-4
  20 - 4
      5

   26-5
```

```
      31
  40 - 3
      6
```

```
      24
  45 - 9
      5
```

```
      36
  52 - 7
      8
```

◉ 규칙을 찾아 ▨ 안에 알맞은 수를 써넣으시오.

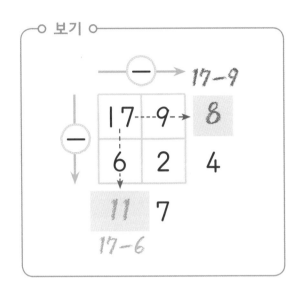

보기

17 - 9

17 →- 9 →→ 8

6  2  4

11  7

17 - 6

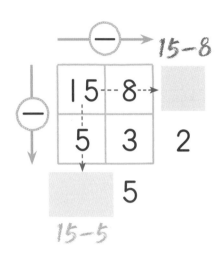

15 - 8

15 →- 8 →→

5  3  2

5

15 - 5

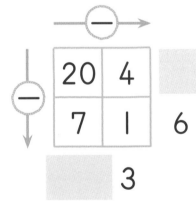

20  4

7  1  6

3

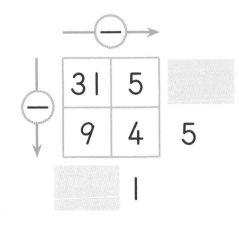

31  5

9  4  5

1

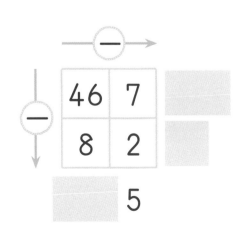

46  7

8  2

5

👤 규칙을 찾아 ▮ 안에 알맞은 수를 써넣으시오.

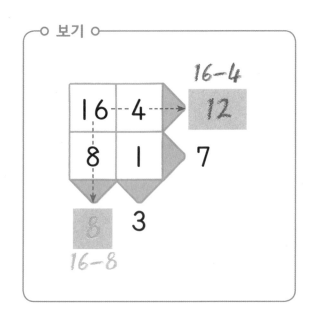

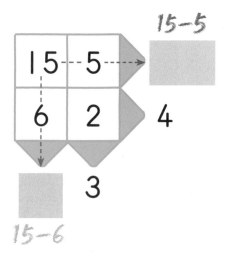

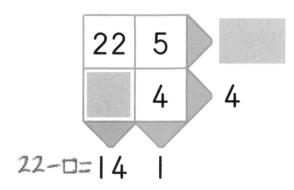

22−□=14   1

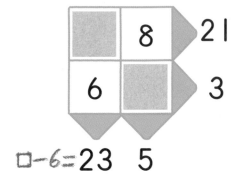

□−6=23   5

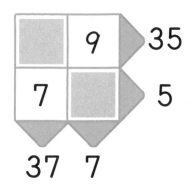

37   7

⚑ 주어진 가로·세로 열쇠를 보고 퍼즐을 완성하시오.

2
A05

| 가로 열쇠 | 세로 열쇠 |
|---|---|
| ① 26 - 5 =21 | ㉠ 19 - 4 |
| ② 60 - 7 | ㉡ 40 - 6 |
| ③ 58 - 9 | ㉢ 43 - 8 |
| ④ 61 - 7 | ㉣ 55 - 9 |
| ⑤ 70 - 3 | |

🌷 빈 곳에 알맞은 수를 써넣으시오.

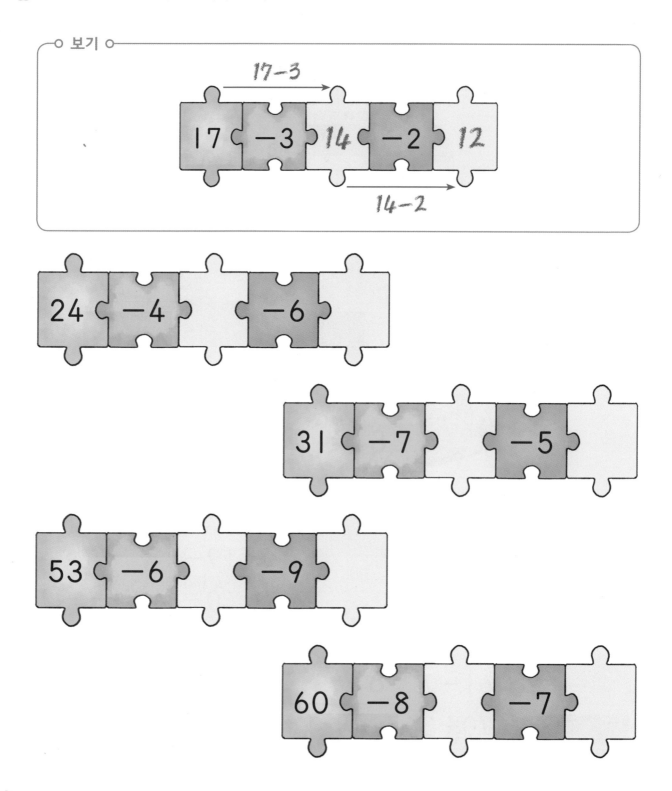

🔎 ▨ 안에 알맞은 수를 써넣으시오.

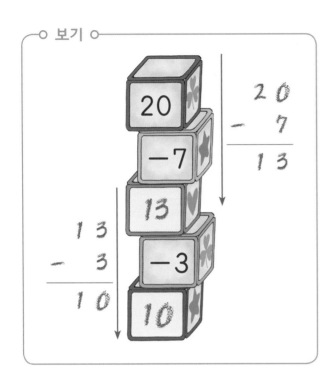

보기

♻ █ 안에 알맞은 수를 써넣으시오.

보기

$$19 - 4 = 15$$
① 19−4=15

| 15
3
=
12
② 15−3=12

27 − 6 = 21

|
8
=
█

31 − 7 = █

|
9
=
█

|
4
=
█

36 − 8 = █

|
7
=
█ − 5 = █

43 − 9 = █

|
6
=
36 − █ = █

❤ 화살표 방향으로 계산하여 빈 곳에 알맞은 수를 써넣으시오.

# 5 일차

## 화살표 약속

🌷 화살표 약속에 따라 ▨ 안에 알맞은 수를 써넣으시오.

**화살표 약속**

➡ 5 작은 수

➡ 7 작은 수

12

-5 ↗   ↘ -7

17    ▨

**화살표 약속**

➡ 3 작은 수

➡ 8 작은 수

24

-3 ↘   ↗

▨    ▨

**화살표 약속**

➡ 6 작은 수

➡ 9 작은 수

▨

↗   ↘

35    ▨

## 화살표 약속

→ 3 작은 수

→ 5 큰 수

→ 7 작은 수

26 →　□

□ → □

## 화살표 약속

→ 6 작은 수

→ 4 큰 수

→ 8 작은 수

42 →　□

□ → □

## 화살표 약속

→ 7 작은 수

→ 8 큰 수

→ 9 작은 수

63 →　□

□ → □

👤 화살표 약속에 따라 ▨ 안에 알맞은 수를 써넣으시오.

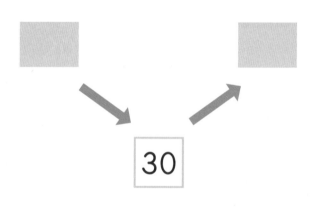

□-3=16

19

16

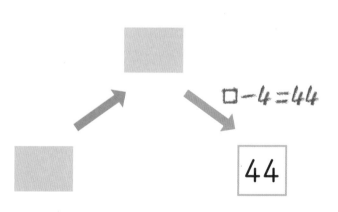

30

□-4=44

44

🌱 화살표 약속에 따라 ▨ 안에 알맞은 수를 써넣으시오.

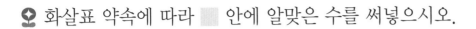

화살표 약속

➡ 4 작은 수    ➡ 8 작은 수    ➡ 6 큰 수

2

A05

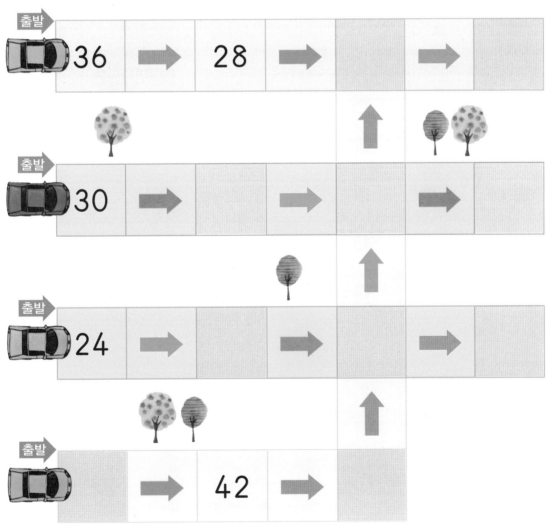

학습관리표

| 일 자 | | | 소요 시간 | 틀린 문항 수 | 확인 |
|---|---|---|---|---|---|
| ❶ 일차 | 월 | 일 | : | | |
| ❷ 일차 | 월 | 일 | : | | |
| ❸ 일차 | 월 | 일 | : | | |
| ❹ 일차 | 월 | 일 | : | | |
| ❺ 일차 | 월 | 일 | : | | |

# ③ 주

# 도미노 뺄셈

🌷 두 수의 차가 주어진 수가 되도록 다음 모양으로 묶어 보시오.

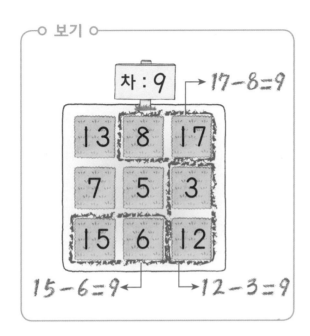

모양 :

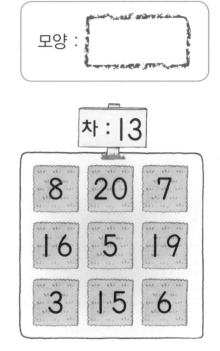

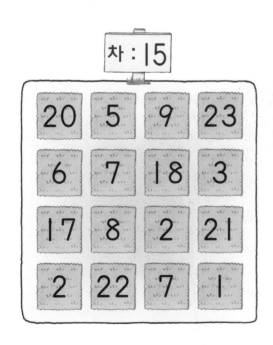

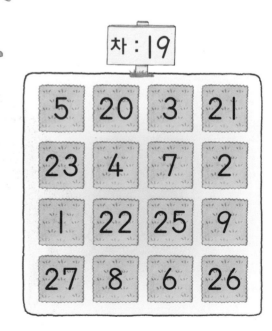

모양 :

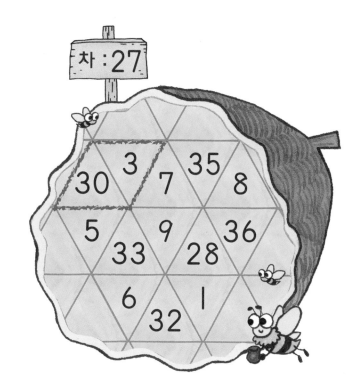

차 : 27

| 30 | 3 | 7 | 35 | 8 |
| 5 | | 9 | | 36 |
| | 33 | | 28 | |
| | 6 | | 1 | |
| | | 32 | | |

3

A05

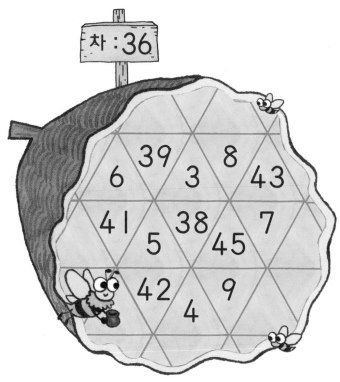

차 : 36

| | 39 | | 8 | |
| 6 | | 3 | | 43 |
| 41 | | 38 | | 7 |
| | 5 | | 45 | |
| | 42 | | 9 | |
| | | 4 | | |

이웃한 도미노 수의 차가 주어진 수가 되도록 빈칸에 알맞은 수를 써넣으시오.

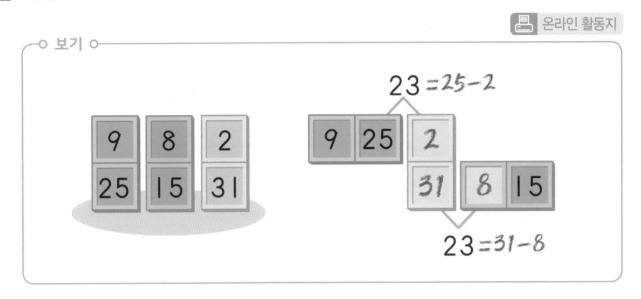

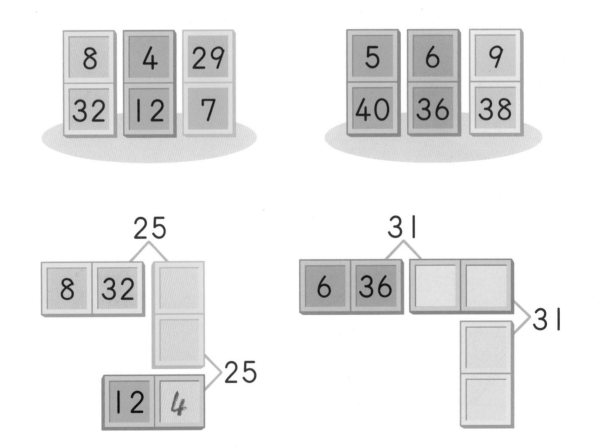

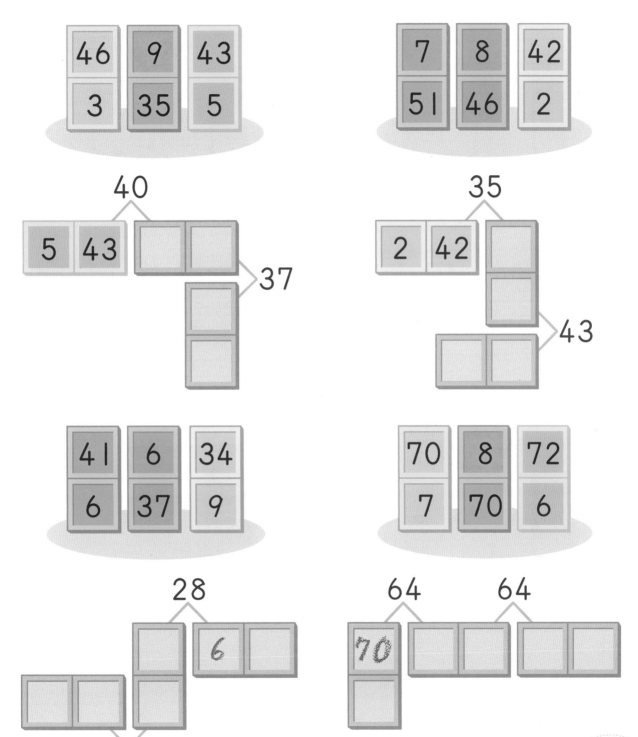

# 성냥개비 셈

🌷 ▨ 안에서 성냥개비 1개를 **빼야** 할 곳을 찾아 ✗표 하고, 올바른 식을 쓰시오.

🖨 온라인 활동지

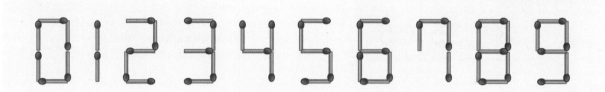

○ 보기 ○

15 - 9 = 8  ➡  15 - 9 = 8

식 ➡ _15-9=6_

18 - 2 = 18

식 ➡ _____

26 - 3 = 29

식 ➡ _____

30 - 8 = 21    식 ➡ _____

42 - 9 = 37    식 ➡ _____

46 - 3 = 42    식 ➡ _____

68 - 7 = 53    식 ➡ _____

☺ █ 안에서 성냥개비 **1개를 옮겨야** 할 곳을 찾아 표시하고, 올바른 식을 쓰시오.

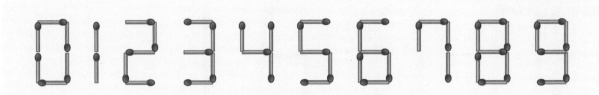

┌─ ○ 보기 ○ ─────────────────────────────────┐

10 - 8 = 3  ➡  10 - 8 = 2

식 ➡  ___10 - 8 = 2___

└───────────────────────────────────────────┘

17 - 4 = 15

식 ➡ _____

23 - 3 = 26

식 ➡ _____

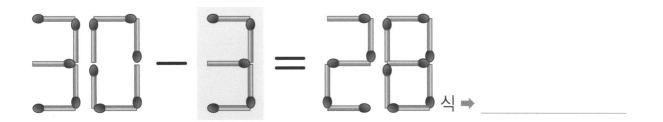

30 - 3 = 28  식 ➡ _____

43 - 7 = 39  식 ➡ _____

59 - 6 = 44  식 ➡ _____

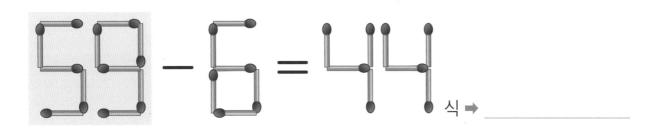

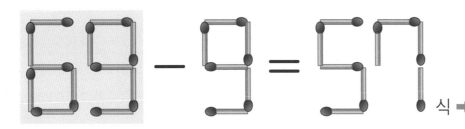

69 - 9 = 57  식 ➡ _____

# 벌레먹은 셈

🌷 ▨ 안에 알맞은 숫자를 써넣으시오.

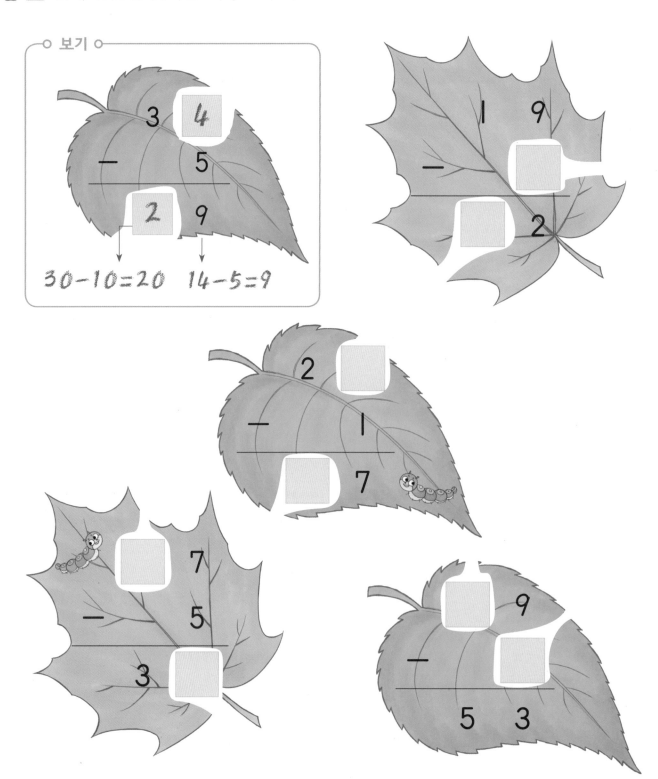

○ 보기 ○

```
  3 [4]
−
    5
─────────
[2] 9
```

30−10=20   14−5=9

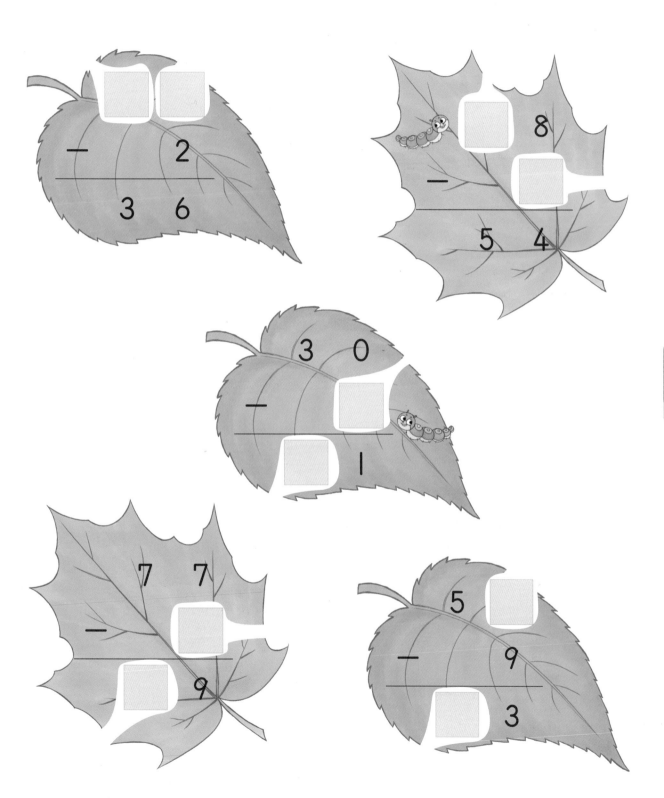

**3** 일차

■ 안에 알맞은 숫자를 써넣으시오.

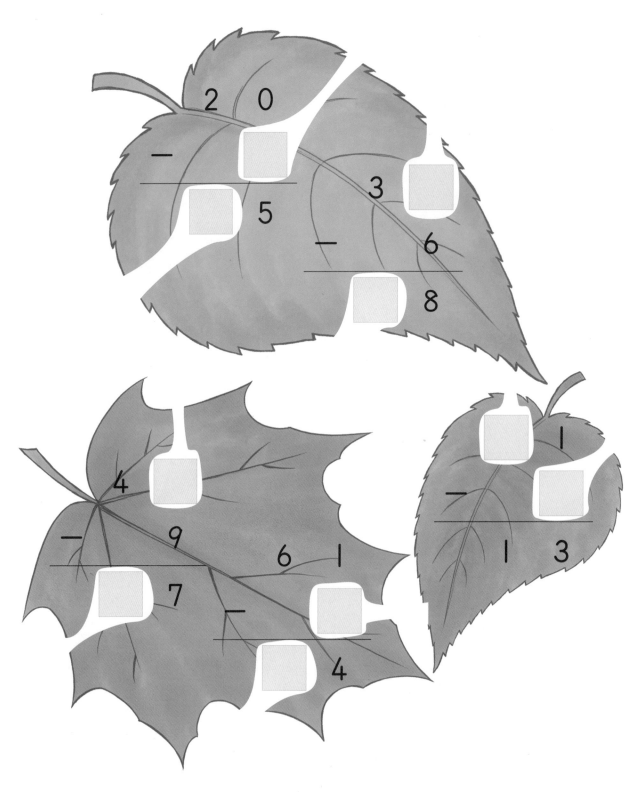

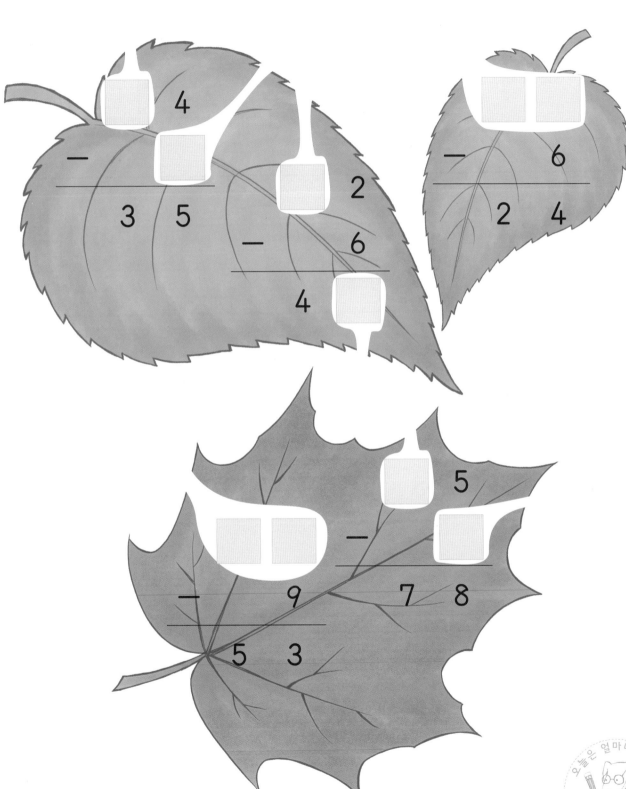

# 4 일차

## 목표수 만들기

🌷 주어진 숫자 카드를 모두 사용하여 목표수를 만들어 보시오.

┌─ 보기 ─────────────────────────┐

| 7 | 1 | 5 |

```
    1  7
 -     5
 ─────────
```
목표수   1 2

└────────────────────────────────┘

📠 온라인 활동지

| 9 | 1 | 3 |

```
    1  ☐
 -     ☐
 ─────────
```
목표수   1 6

| 6 | 2 | 8 |

```
    ☐  ☐
 -     ☐
 ─────────
```
목표수   2 2

| 4 | 5 | 0 |

```
    ☐  ☐
 -     ☐
 ─────────
```
목표수   3 5

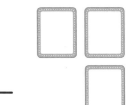

$$\begin{array}{r} \boxed{\phantom{0}}\boxed{\phantom{0}} \\ -\ \boxed{\phantom{0}} \\ \hline \end{array}$$

목표수　　2　6

$$\begin{array}{r} \boxed{\phantom{0}}\boxed{\phantom{0}} \\ -\ \boxed{\phantom{0}} \\ \hline \end{array}$$

목표수　　3　8

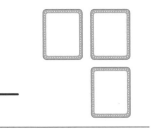

$$\begin{array}{r} \boxed{\phantom{0}}\boxed{\phantom{0}} \\ -\ \boxed{\phantom{0}} \\ \hline \end{array}$$

목표수　　5　5

$$\begin{array}{r} \boxed{\phantom{0}}\boxed{\phantom{0}} \\ -\ \boxed{\phantom{0}} \\ \hline \end{array}$$

목표수　　6　9

😊 주어진 숫자 카드를 모두 사용하여 목표수를 만들어 보시오.

 온라인 활동지

┌─○ 보기 ○────────────────────────────────────┐

│      10   6   7    ➡    $\boxed{10} - \boxed{6} + \boxed{7} = 11$

└──────────────────────────────────────────┘

4   5   12    ➡    $\boxed{12} - \boxed{\phantom{0}} + \boxed{\phantom{0}} = 13$

23   4   7    ➡    $\boxed{\phantom{0}} - \boxed{\phantom{0}} + \boxed{\phantom{0}} = 20$

3   5   27    ➡    $\boxed{\phantom{0}} - \boxed{\phantom{0}} + \boxed{\phantom{0}} = 25$

7
9
32

➡ □ − □ + □ = 30

6
9
45

➡ □ − □ + □ = 42

3
A05

20
8
17

➡ □ − □ + □ = 29

6
32
14

➡ □ − □ + □ = 40

❦ 🔲 안에 알맞은 수를 써넣으시오.

○ 보기 ○

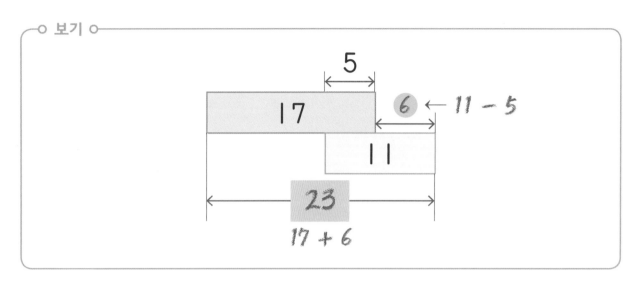

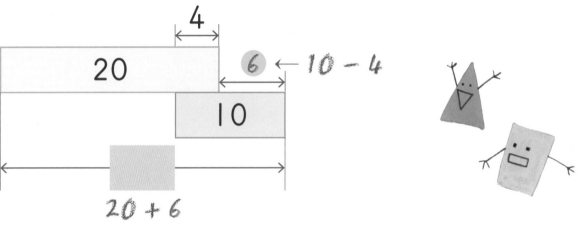

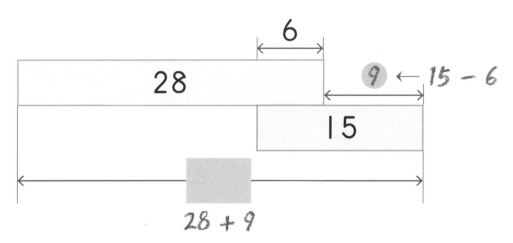

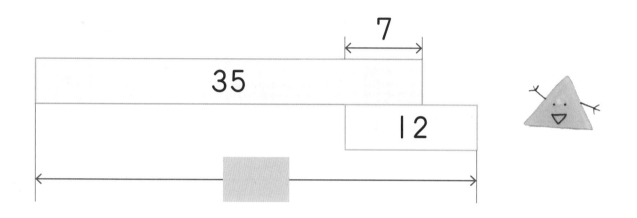

3

A05

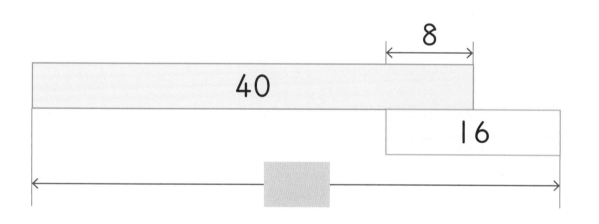

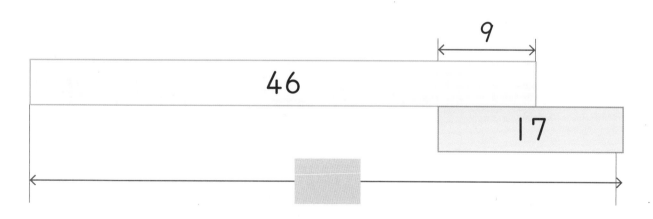

**♀** █ 안에 알맞은 수를 써넣으시오.

○ 보기 ○

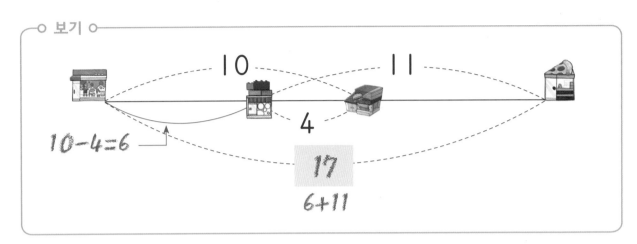

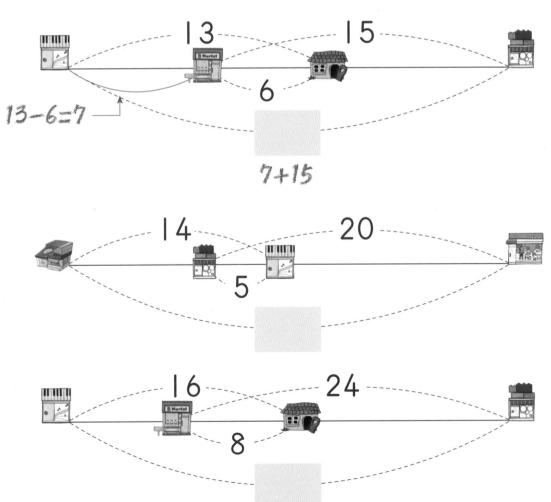

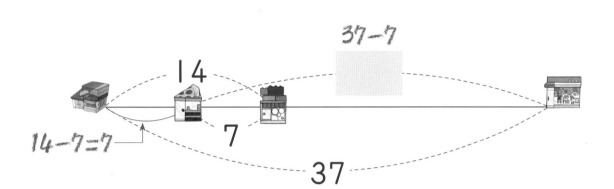

$37-7$

$14-7=7$

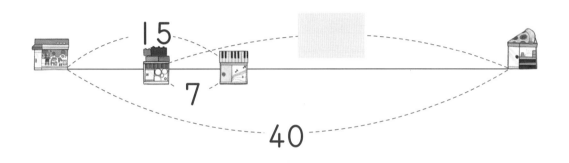

3

A05

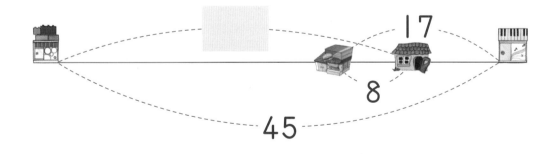

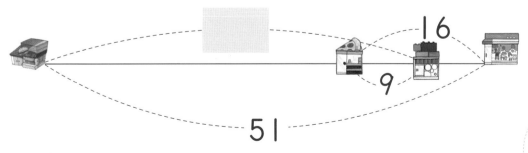

학습관리표

| 일 자 | | | 소요 시간 | 틀린 문항 수 | 확인 |
|---|---|---|---|---|---|
| ❶ 일차 | 월 | 일 | : | | |
| ❷ 일차 | 월 | 일 | : | | |
| ❸ 일차 | 월 | 일 | : | | |
| ❹ 일차 | 월 | 일 | : | | |
| ❺ 일차 | 월 | 일 | : | | |

# 4 주

# 사다리 셈

🌷 사다리타기를 하여 ▨ 안에 알맞은 수를 써넣으시오.

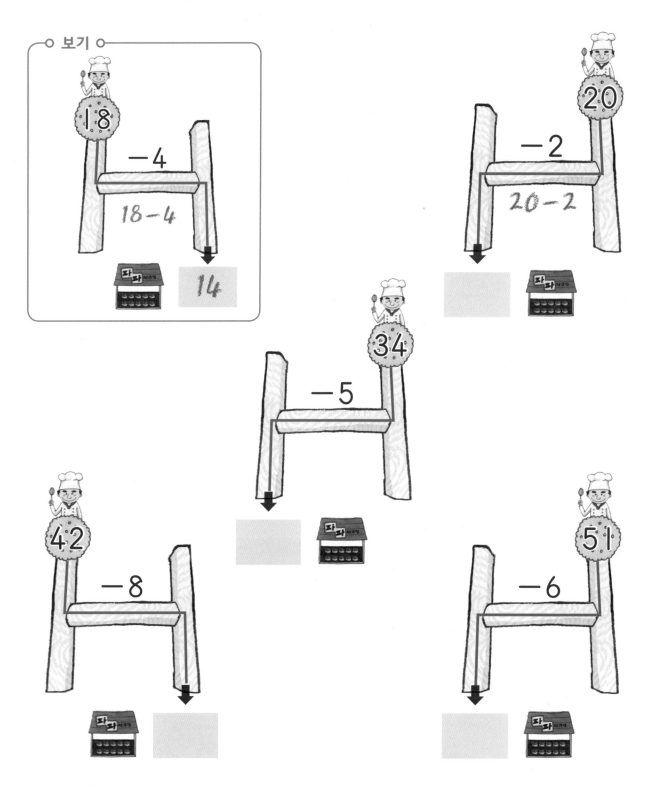

┌─○ 보기 ○─────────────────────┐

18

−4

18 − 4

14

└────────────────────────────┘

20

−2

20 − 2

34

−5

42

−8

51

−6

사다리타기를 하여 🔲 안에 알맞은 수를 써넣으시오.

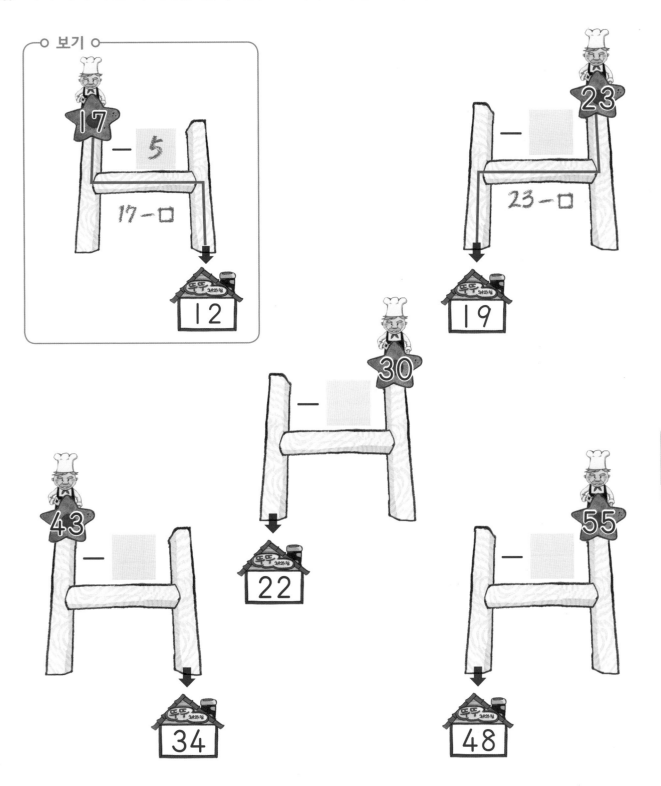

○ 보기 ○

17 − 5

17 − □

12

23 − □

19

30 −

22

43 −

34

55 −

48

사다리타기를 하여 □ 안에 알맞은 수를 써넣으시오.

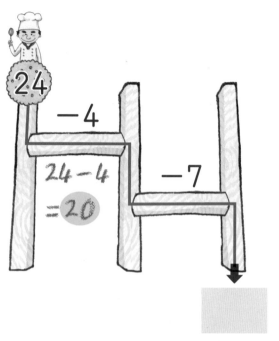

$24 - 4$
$= 20$

$20 - 7$

$30 - 5$
$= 25$

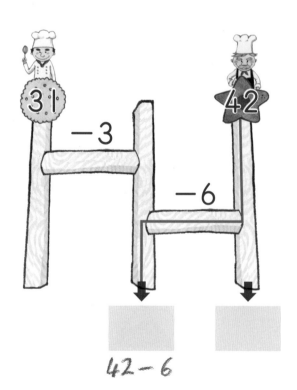

$42 - 6$

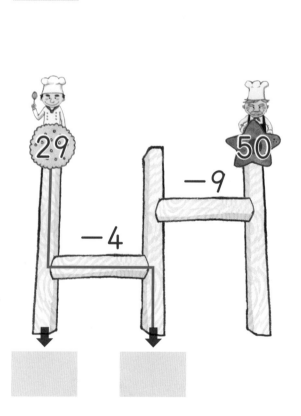

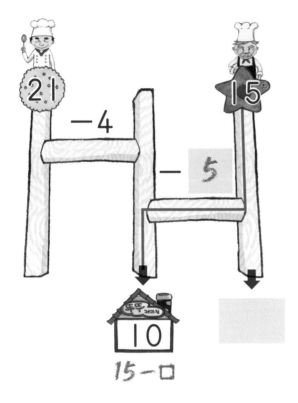

15－□

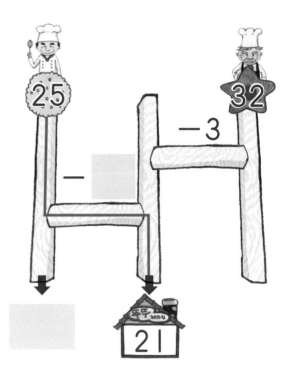

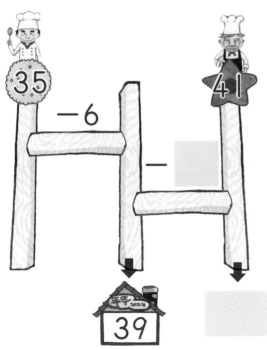

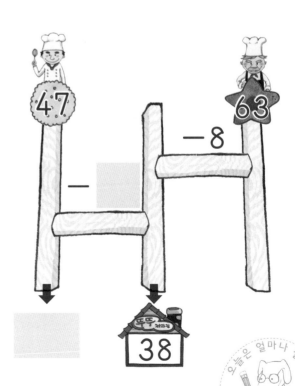

## 약속 셈

🌷 약속에 맞게 식을 계산하여 ▨ 안에 알맞은 수를 써넣으시오.

> 약속    가 ♣ 나 = 가 − 5 − 나

22 ♣ 7 = 22 − 5 − 7 =

28 ♣ 6 = ▨ − 5 − ▨ = ▨

35 ♣ 9 = ▨ − 5 − ▨ = ▨

> 약속    가 ♠ 나 = 나 + 9 − 가

3 ♠ 23 = 23 + 9 − 3 =

8 ♠ 31 = ▨ + 9 − ▨ = ▨

약속   가 ◈ 나 = 가 − 나 − 나

27 ◈ 2 = | 27 | − | 2 | − | 2 | = |  |

40 ◈ 5 = |  | − |  | − |  | = |  |

52 ◈ 7 = |  | − |  | − |  | = |  |

**4**
A05

약속   가 ◉ 나 = 나 − 가 + 나

6 ◉ 14 = | 14 | − |  | + | 14 | = |  |

8 ◉ 17 = |  | − |  | + |  | = |  |

👤 약속에 맞게 식을 계산하여 ▨ 안에 알맞은 수를 써넣으시오.

> **약속**  가 ⭐ 나 = 가 − 나

18 ⭐ 8 = ▨          25 ⭐ 7 = ▨
  └→ 18 − 8

30 ⭐ 6 = ▨          50 ⭐ 5 = ▨

43 ⭐ 9 = ▨

> **약속**  가 ◆ 나 = 나 + 8 − 가

3 ◆ 12 = ▨          6 ◆ 18 = ▨
  └→ 12 + 8 − 3

7 ◆ 24 = ▨          9 ◆ 47 = ▨

약속    가 ♥ 나 = 가 - 나 - 5

20 ♥ 4 = ☐         37 ♥ 9 = ☐
    ↳ 20 - 4 - 5

40 ♥ 6 = ☐         48 ♥ 7 = ☐

56 ♥ 8 = ☐

약속    가 ▲ 나 = 나 - 가 + 나

5 ▲ 10 = ☐         4 ▲ 12 = ☐
    ↳ 10 - 5 + 10

7 ▲ 16 = ☐         9 ▲ 18 = ☐

❦ 계산 순서를 찾아 ⬭ 안에 알맞은 수를 써넣으시오.

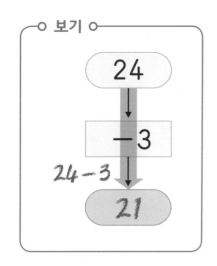

보기

24
−3
24−3
21

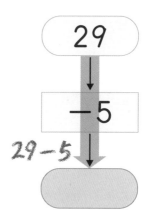

29
−5
29−5
⬭

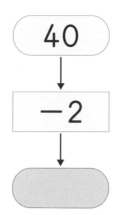

40
−2
⬭

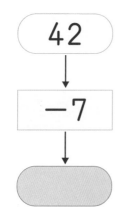

42
−7
⬭

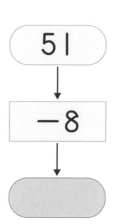

51
−8
⬭

◉ 계산 순서를 찾아 ⬭ 안에 알맞은 수를 써넣으시오.

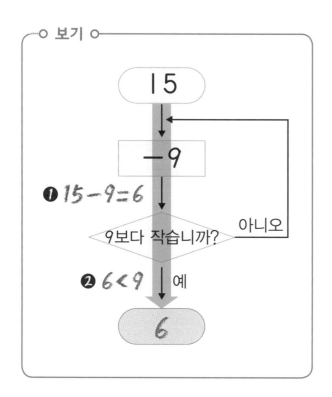

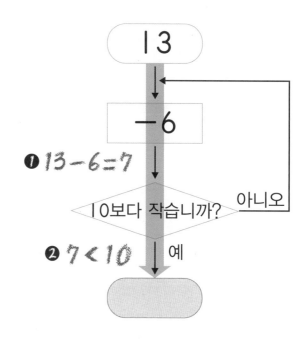

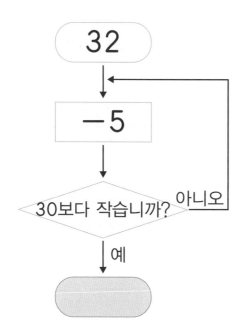

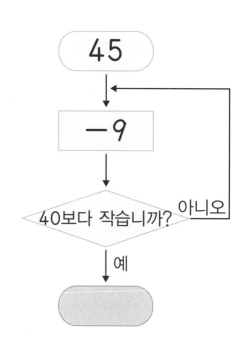

**♣ 계산 순서를 찾아 ⬭ 안에 알맞은 수를 써넣으시오.**

○ 보기 ○

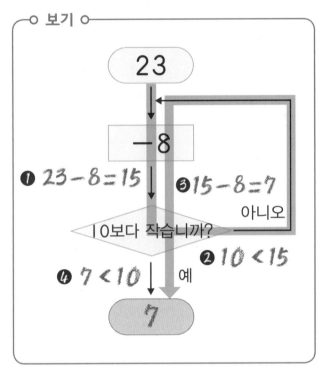

23

－8

❶ 23－8＝15
❸ 15－8＝7
아니오

10보다 작습니까?

❹ 7＜10    ❷ 10＜15
예

7

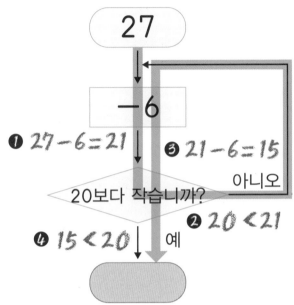

27

－6

❶ 27－6＝21
❸ 21－6＝15
아니오

20보다 작습니까?

❹ 15＜20    ❷ 20＜21
예

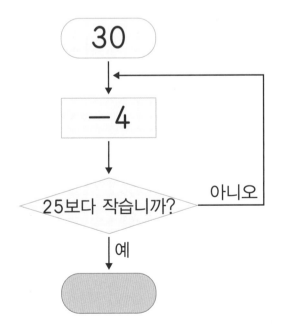

30

－4

25보다 작습니까?    아니오

예

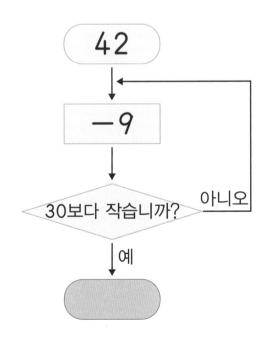

42

－9

30보다 작습니까?    아니오

예

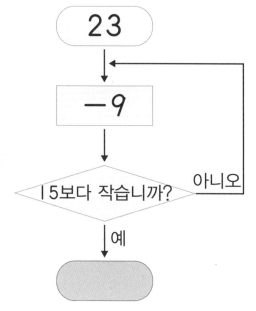

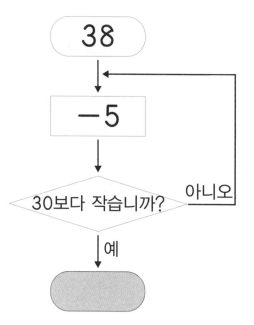

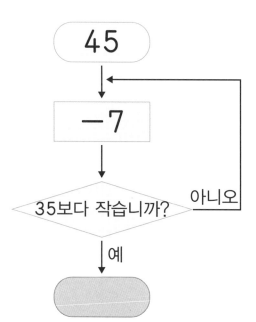

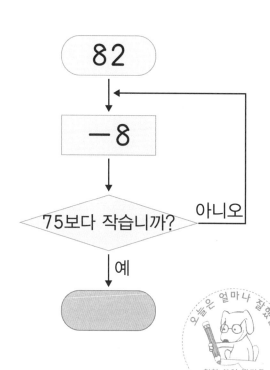

# 기호 넣기

❦ 양팔 저울이 수평을 이루도록 ○ 안에 ＋ 또는 － 기호를 알맞게 써넣고 식을 쓰시오.

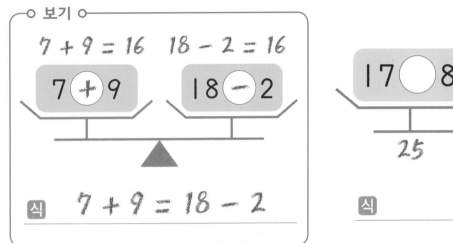

○ 보기 ○

$7 + 9 = 16$   $18 - 2 = 16$

$7 \,\boxed{+}\, 9$   $18 \,\boxed{-}\, 2$

식 $7 + 9 = 18 - 2$

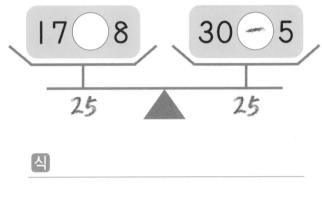

$17 \,\bigcirc\, 8$   $30 \,\ominus\, 5$

25   25

식

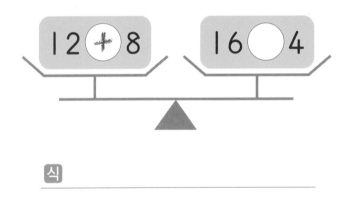

$12 \,\boxed{+}\, 8$   $16 \,\bigcirc\, 4$

식

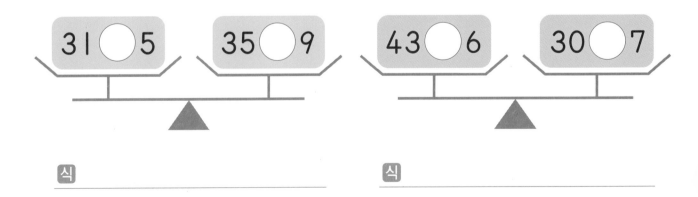

$31 \,\bigcirc\, 5$   $35 \,\bigcirc\, 9$   $43 \,\bigcirc\, 6$   $30 \,\bigcirc\, 7$

식                              식

양팔 저울이 수평을 이루도록 ○ 안에 + 또는 − 기호를, □ 안에 알맞은 수
를 써넣고 식을 쓰시오.

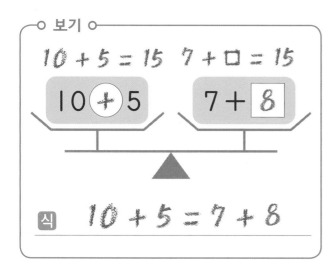

보기

$10 + 5 = 15$　$7 + \Box = 15$

$10 ⊕ 5$　　$7 + \boxed{8}$

식　$10 + 5 = 7 + 8$

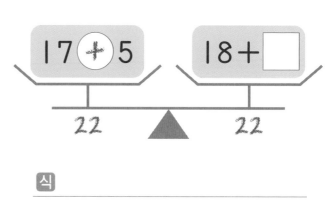

$17 ⊕ 5$　　$18 + \Box$

22　　　22

식

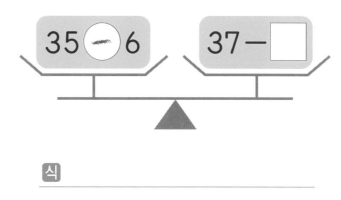

$35 ⊖ 6$　　$37 - \Box$

식

$50 ○ 8$　　$49 - \Box$　　　$47 ○ 9$　　$61 - \Box$

식　　　　　　　　　　　식

4

A05

👤 올바른 식이 되도록 ⬤ 안에 **+** 또는 **−** 기호를 알맞게 써넣으시오.

○ 보기 ○

$$10 \; + \; 7 \; - \; 5 = 12$$

$$7 \; + \; 18 \; \bigcirc \; 4 = 21$$

$$6 \; \bigcirc \; 3 \; + \; 11 = 20$$

$$7 \; \bigcirc \; 2 \; \bigcirc \; 22 = 27$$

$$42 \; \bigcirc \; 6 \; \bigcirc \; 7 = 29$$

$$22 \; \bigcirc \; 5 \; \bigcirc \; 9 = 26$$

$$8 \; \bigcirc \; 39 \; \bigcirc \; 6 = 41$$

✿ 올바른 식이 되도록 ◯ 안에 ＋, －, ＝ 기호를 알맞게 써넣으시오.

◯ 보기 ◯

11 ＋ 7 ＝ 23 － 5

9 ◯ 3 ◯ 24 ＝ 30

21 ◯ 2 ＝ 6 ◯ 13

33 ＝ 1 ◯ 24 ◯ 8

50 ◯ 8 ◯ 49 ◯ 7

5 ◯ 29 ◯ 40 ◯ 6

10 ◯ 8 ◯ 38 ◯ 40

4

A05

# 5
일차

## 가장 큰 값, 가장 작은 값

🌷 색종이를 2번 잘라 주어진 식의 계산 결과가 **가장 크게** 되도록 만드시오.

온라인 활동지

**가장 큰 값**

가장 큰 수

| 2 | 5 | 3 | 6 |

➡ [ 5 3 ] − [ 2 ] − [ 6 ]

= [ ]

**가장 큰 값**

| 3 | 2 | 4 | 7 |

➡ [ ] − [ ] − [ ]

= [ ]

**가장 큰 값**

| 6 | 3 | 5 | 1 |

➡ [ ] − [ ] − [ ]

= [ ]

**가장 큰 값**

| 6 | 8 | 2 | 9 |

➡ [ ] − [ ] − [ ]

= [ ]

색종이를 2번 잘라 주어진 식의 계산 결과가 **가장 작게** 되도록 만드시오.

🖨 온라인 활동지

가장 작은 값

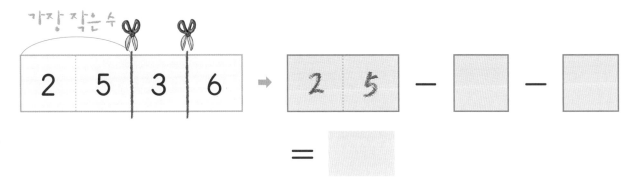

가장 작은수

2 5 3 6 ➡ 2 5 − ☐ − ☐

= ☐

가장 작은 값

3 5 4 6 ➡ ☐ − ☐ − ☐

= ☐

가장 작은 값

6 3 5 1 ➡ ☐ − ☐ − ☐

= ☐

가장 작은 값

7 8 2 9 ➡ ☐ − ☐ − ☐

= ☐

숫자 카드를 한 번씩 사용하여 계산 결과가 조건에 맞는 값이 되도록 만들어 보시오.

온라인 활동지

보기

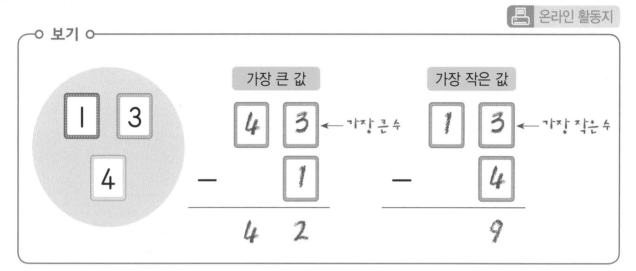

| 1 | 3 |
| 8 | 6 |

가장 큰 값

□ □
− □

가장 작은 값

□ □
− □

| 2 | 4 |
| 7 | 0 |

가장 큰 값

□ □
− □

가장 작은 값

□ □
− □

| 5 | 9 |
| 0 | 8 |

가장 큰 값

□ □
− □

가장 작은 값

□ □
− □

오늘은 얼마나 잘했을까요?
칭찬 붙임 딱지를
붙여 주세요!

A05
정답

**1주 1일차** 받아내림이 없는 뺄셈

**P8~9**

**스토리텔링**

승민이와 유진이는 길을 가다 전봇대 옆에 서 있는 엿장수 아저씨를 발견했어요. 아저씨는 신나게 "챙챙" 소리를 내며 가위질을 하고 있어요. 아이들이 엿을 몇 개씩 달라고 하네요. 엿장수 아저씨가 팔고 남은 엿은 모두 몇 개일까요?

**학습가이드**

받아내림이 없는 (두 자리 수)-(한 자리 수)의 계산을 학습하는 과정입니다. 수 모형을 통하여 각 자리의 숫자끼리 빼는 계산 원리를 이해하고, 이를 형식화할 때에는 십의 자리에서부터 일의 자리 순서로 계산할 수 있도록 지도해 주세요. 받아내림이 없는 두 자리 수와 한 자리 수의 뺄셈이므로 자릿수만 잘 맞추어 계산하면 쉽게 해결할 수 있습니다.

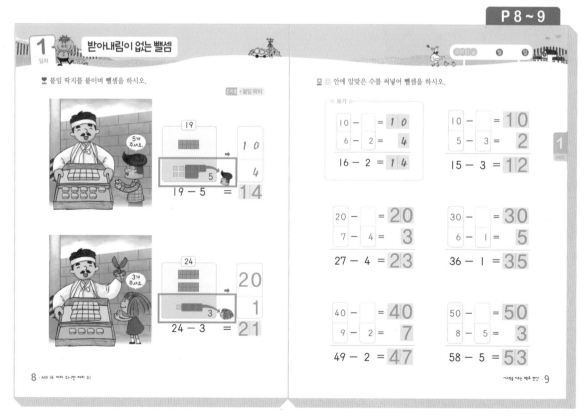

**'십의 자리 → 일의 자리' 순서로 계산하시오.**

그대로
$27 - 3 = 2$ ➡ $27 - 3 = 2\ 4$
7 - 3

그대로
$15 - 2 = 13$
5 - 2

그대로
$26 - 4 = 22$
6 - 4

$38 - 3 = 35$

$35 - 5 = 30$

$59 - 1 = 58$

$68 - 4 = 64$

$48 - 5 = 43$

$77 - 2 = 75$

$54 - 2 = 52$

$69 - 3 = 66$

$75 - 1 = 74$

$59 - 4 = 55$

$44 - 4 = 40$

$83 - 2 = 81$

$65 - 3 = 62$

$48 - 5 = 43$

$79 - 4 = 75$

$97 - 3 = 94$

$68 - 2 = 66$

$86 - 2 = 84$

**뺄셈을 하시오.**

$14 - 3 = 11$

$29 - 2 = 27$

$27 - 6 = 21$

$38 - 5 = 33$

$36 - 2 = 34$

$24 - 1 = 23$

$48 - 4 = 44$

$57 - 3 = 54$

$37 - 1 = 36$

$42 - 2 = 40$

$59 - 8 = 51$

$68 - 5 = 63$

$47 - 3 = 44$

$64 - 2 = 62$

$78 - 2 = 76$

$55 - 4 = 51$

$69 - 5 = 64$

$87 - 3 = 84$

$56 - 1 = 55$

$79 - 2 = 77$

$97 - 4 = 93$

$85 - 4 = 81$

$78 - 6 = 72$

$99 - 2 = 97$

승민이 친구들도 엿이 맛있다는 소문을 듣고 엿을 사러 왔나 봐요. 그런데 오늘은 엿이 모두 큰 것밖에 없어 아저씨가 가위로 잘라 주시네요. 엿장수 아저씨가 팔고 남은 엿은 모두 몇 개일까요?

학습가이드

(몇십)-(몇)의 계산에서 받아내림이 있는 계산을 학습하는 과정입니다.
여기서는 십의 자리부터 계산하는 머리셈을 이용하여 (두 자리 수)-(한 자리 수)의 계산을 익힙니다. 머리셈이 빨라지면 일의 자리부터 계산하는 방법보다 훨씬 빠르고 정확한 수셈 능력으로 발전할 수 있으므로 다음과 같은 순서로 지도해 주세요.

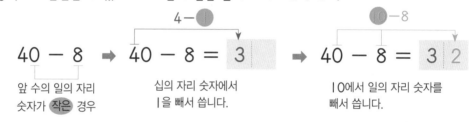

P 14~15

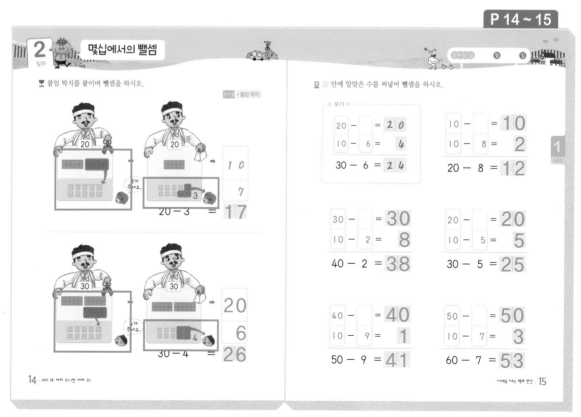

P 16 ~ 17

**2** 일차

○ '십의 자리 → 일의 자리' 순서로 계산하시오.

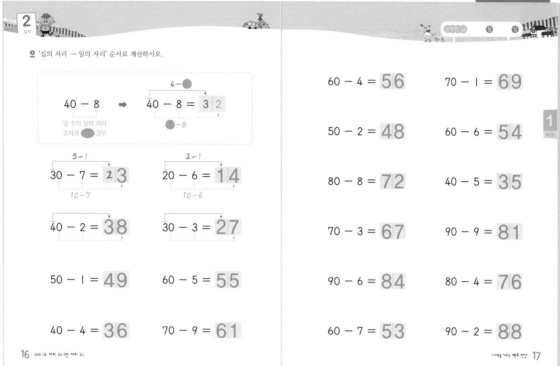

$40 - 8 \Rightarrow 40 - 8 = 32$

앞 수의 일의 자리
숫자가 ⬤ 경우

$30 - 7 = 23$

$20 - 6 = 14$

$40 - 2 = 38$

$30 - 3 = 27$

$50 - 1 = 49$

$60 - 5 = 55$

$40 - 4 = 36$

$70 - 9 = 61$

$60 - 4 = 56$     $70 - 1 = 69$

$50 - 2 = 48$     $60 - 6 = 54$

$80 - 8 = 72$     $40 - 5 = 35$

$70 - 3 = 67$     $90 - 9 = 81$

$90 - 6 = 84$     $80 - 4 = 76$

$60 - 7 = 53$     $90 - 2 = 88$

16 · A05 (두 자리 수)-(한 자리 수)

사고력을 키우는 팩토 연산 · 17

1
A05

P 18 ~ 19

**2** 일차

○ 뺄셈을 하시오.

$30 - 2 = 28$     $20 - 5 = 15$

$40 - 7 = 33$     $50 - 9 = 41$

$20 - 4 = 16$     $40 - 2 = 38$

$60 - 2 = 58$     $30 - 6 = 24$

$50 - 5 = 45$     $60 - 3 = 57$

$70 - 8 = 62$     $50 - 1 = 49$

$60 - 9 = 51$     $80 - 3 = 77$

$50 - 7 = 43$     $30 - 5 = 25$

$80 - 1 = 79$     $90 - 4 = 86$

$60 - 5 = 55$     $20 - 2 = 18$

$70 - 4 = 66$     $80 - 6 = 74$

$40 - 8 = 32$     $90 - 1 = 89$

18 · A05 (두 자리 수)-(한 자리 수)

1
A05

스토리텔링

오늘은 장사가 잘 되었는지 엿장수 아저씨가 신이 난 것 같아요. 휘파람을 불며 가위로 "챙챙" 요란하게 소리를 내시네요. 아이들도 엿장수 아저씨를 보러 와서 엿을 사고 있네요. 엿장수 아저씨가 팔고 남은 엿은 모두 몇 개일까요?

학습가이드

(두 자리 수)−(한 자리 수)의 계산에서 받아내림이 있는 계산을 학습하는 과정입니다.
2일차에서와 마찬가지로 머리셈을 이용하여 (두 자리 수)−(한 자리 수)의 계산을 익힙니다.
머리셈을 이용하여 십의 자리에서부터 받아내림을 적용하여 계산할 수 있도록 지도해 주세요.

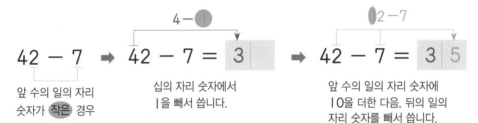

$42 - 7$ → 앞 수의 일의 자리 숫자가 작은 경우

$42 - 7 = 3$ → 십의 자리 숫자에서 1을 빼서 씁니다.

$42 - 7 = 3\ 5$ → 앞 수의 일의 자리 숫자에 10을 더한 다음, 뒤의 일의 자리 숫자를 빼서 씁니다.

P 20 ~ 21

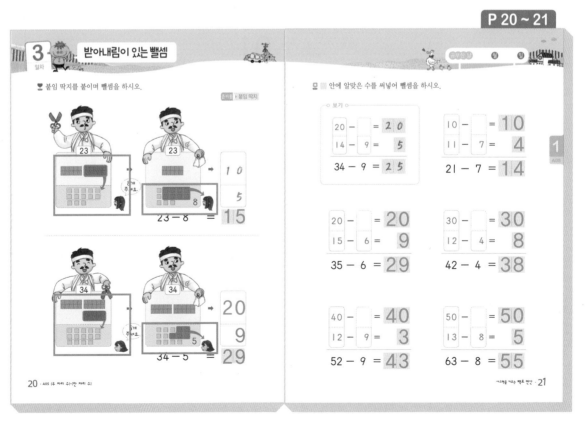

P 22 ~ 23

**3**

○ '십의 자리 → 일의 자리' 순서로 계산하시오.

$$42 - 7 \quad \Rightarrow \quad 42 - 7 = 3 \,\boxed{5}$$

앞 수의 일의 자리
숫자가 ●● 경우

$25 - 8 = \boxed{17}$   $34 - 6 = \boxed{28}$

$31 - 2 = \boxed{29}$   $43 - 9 = \boxed{34}$

$45 - 9 = \boxed{36}$   $32 - 4 = \boxed{28}$

$53 - 8 = \boxed{45}$   $61 - 7 = \boxed{54}$

$41 - 3 = \boxed{38}$   $72 - 7 = \boxed{65}$

$65 - 8 = \boxed{57}$   $22 - 9 = \boxed{13}$

$83 - 6 = \boxed{77}$   $41 - 9 = \boxed{32}$

$63 - 8 = \boxed{55}$   $92 - 7 = \boxed{85}$

$85 - 7 = \boxed{78}$   $73 - 9 = \boxed{64}$

$96 - 9 = \boxed{87}$   $64 - 5 = \boxed{59}$

22 · A05 (두 자리 수)-(한 자리 수)

사고력을 키우는 팩토 연산 · 23

P 24 ~ 25

**3**

○ 뺄셈을 하시오.

$32 - 7 = \boxed{25}$   $21 - 4 = \boxed{17}$

$45 - 8 = \boxed{37}$   $52 - 7 = \boxed{45}$

$27 - 9 = \boxed{18}$   $62 - 8 = \boxed{54}$

$51 - 3 = \boxed{48}$   $46 - 9 = \boxed{37}$

$42 - 6 = \boxed{36}$   $33 - 5 = \boxed{28}$

$61 - 9 = \boxed{52}$   $72 - 7 = \boxed{65}$

$62 - 9 = \boxed{53}$   $54 - 8 = \boxed{46}$

$73 - 6 = \boxed{67}$   $81 - 3 = \boxed{78}$

$35 - 7 = \boxed{28}$   $75 - 9 = \boxed{66}$

$94 - 9 = \boxed{85}$   $65 - 7 = \boxed{58}$

$41 - 8 = \boxed{33}$   $82 - 6 = \boxed{76}$

$74 - 5 = \boxed{69}$   $95 - 8 = \boxed{87}$

24 · A05 (두 자리 수)-(한 자리 수)

**스토리텔링**

오늘도 역시 엿장수 아저씨가 보이네요. 아이들은 지난번 친구들보다 엿을 더 많이 사서 엿장수 아저씨의 가위 든 손이 바빠지고 있어요. 엿장수 아저씨가 팔고 남은 엿은 모두 몇 개일까요?

**학습가이드**

4일차까지 학습한 (두 자리 수)-(한 자리 수)의 계산을 종합하는 과정입니다.
뺄셈을 할 때 두 수의 일의 자리 숫자의 크기를 비교하여 2가지 방법으로 나누어 계산할 수 있도록 지도해 주세요.

① 앞 수의 일의 자리 숫자가 큰 경우

그대로
$$56 - 4 = 5\ 2$$
6-4

② 앞 수의 일의 자리 숫자가 작은 경우

5 - ●
$$56 - 9 = 4\ 7$$
● 6 - 9

P 26 ~ 27

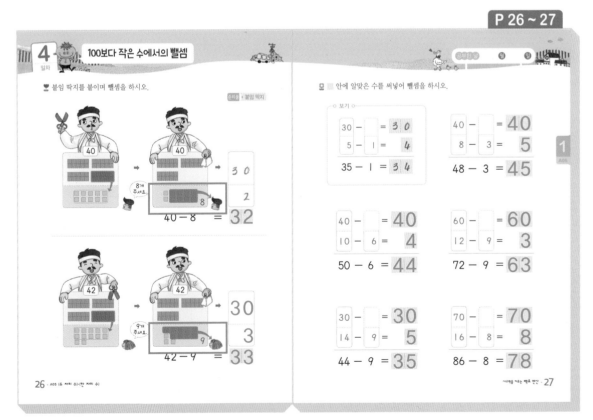

P 28 ~ 29

**4** 일차

○ '십의 자리 → 일의 자리' 순서로 계산하시오.

그대로
$56 - 4 \Rightarrow 56 - 4 = 5\ 2$
앞 수의 일의 자리 숫자가 큰 경우
$6-4$

$5 - 1$
$56 - 9 \Rightarrow 56 - 9 = 4\ 7$
앞 수의 일의 자리 숫자가 작은 경우
$16-9$

그대로
$38 - 6 = 3\ 2$
$8-6$

그대로
$49 - 3 = 46$
$9-3$

$4-1$
$42 - 5 = 3\ 7$
$12-5$

$5-1$
$53 - 8 = 45$
$13-8$

$54 - 1 = 53$

$77 - 6 = 71$

$67 - 9 = 58$

$75 - 7 = 68$

$68 - 4 = 64$

$87 - 5 = 82$

$81 - 8 = 73$

$36 - 9 = 27$

$89 - 1 = 88$

$96 - 2 = 94$

$93 - 7 = 86$

$84 - 6 = 78$

28 · A05 (두 자리 수)-(한 자리 수)

사고력을 키우는 팩토 연산 · 29

P 30 ~ 31

**4** 일차

○ 뺄셈을 하시오.

$39 - 4 = 35$

$41 - 8 = 33$

$74 - 6 = 68$

$60 - 7 = 53$

$62 - 5 = 57$

$50 - 2 = 48$

$42 - 3 = 39$

$85 - 5 = 80$

$45 - 9 = 36$

$76 - 3 = 73$

$91 - 9 = 82$

$34 - 8 = 26$

$61 - 7 = 54$

$65 - 8 = 57$

$87 - 2 = 85$

$63 - 9 = 54$

$70 - 6 = 64$

$97 - 9 = 88$

$74 - 7 = 67$

$85 - 6 = 79$

$85 - 3 = 82$

$51 - 4 = 47$

$93 - 4 = 89$

$95 - 8 = 87$

30 · A05 (두 자리 수)-(한 자리 수)

스토리텔링

엿장수 아저씨는 오늘 팔고 남은 엿이 얼마나 되는지 차근차근 계산하고 있어요. 아이들도 제각각 손가락을 세며 아저씨를 돕고 있네요. 아저씨가 팔고 남은 엿은 모두 몇 개일까요?

학습가이드

4일차까지 익힌 (두 자리 수)−(한 자리 수)의 뺄셈을 세로셈 형식으로 학습하는 과정입니다. 아이들이 처음 세로셈으로 계산할 때에는 받아내림한 수를 빠뜨리고 계산하는 경우가 있으므로 숙달될 때까지는 세로셈의 맨 위에 받아내림한 수를 꼭 기록하도록 지도합니다.

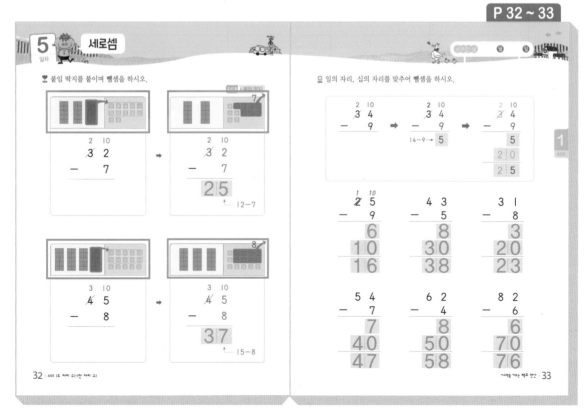

P 34 ~ 35

**5** 일차

오 일의 자리, 십의 자리를 맞추어 뺄셈을 하시오.

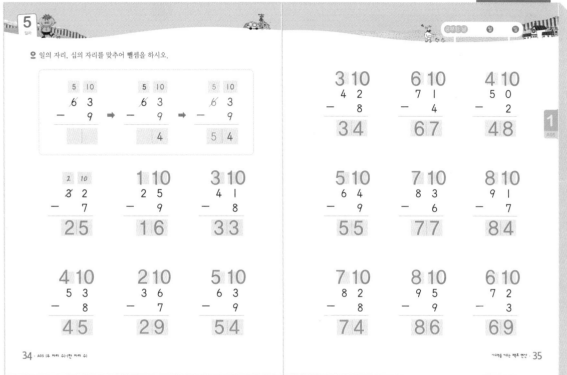

P 36 ~ 37

**5** 일차

오 뺄셈을 하시오.

|        |        |        |
|--------|--------|--------|
| 3 1 − 5 = 26 | 5 3 − 9 = 44 | 4 5 − 7 = 38 |
| 5 4 − 8 = 46 | 2 2 − 4 = 18 | 6 2 − 9 = 53 |
| 4 0 − 4 = 36 | 6 6 − 8 = 58 | 7 4 − 7 = 67 |

|        |        |        |
|--------|--------|--------|
| 5 5 − 9 = 46 | 7 6 − 7 = 69 | 6 2 − 3 = 59 |
| 7 2 − 4 = 68 | 4 3 − 8 = 35 | 9 0 − 4 = 86 |
| 8 3 − 8 = 75 | 9 3 − 9 = 84 | 8 4 − 6 = 78 |

P 38 ~ 39

(두 자리 수) – (한 자리 수)  **연산 실력 체크**

정답 수 / 40개

날짜 월 일

☞ 2~4주 사고력 연산을 학습하기 전에 기본 연산 실력을 점검해 보세요.

연산 실력 체크

1. $28 - 3 = 25$

2. $46 - 6 = 40$

3. $35 - 4 = 31$

4. $40 - 5 = 35$

5. $60 - 7 = 53$

6. $80 - 1 = 79$

7. $42 - 9 = 33$

8. $35 - 6 = 29$

9. $21 - 5 = 16$

10. $47 - 9 = 38$

11. $39 - 2 = 37$

12. $60 - 4 = 56$

13. $54 - 7 = 47$

14. $73 - 5 = 68$

15. $68 - 3 = 65$

16. $43 - 7 = 36$

17. $80 - 6 = 74$

18. $34 - 9 = 25$

19. $94 - 5 = 89$

20. $82 - 4 = 78$

21. $55 - 5 = 50$

22. $63 - 9 = 54$

23. $71 - 3 = 68$

24. $99 - 8 = 91$

38 · A05 (두 자리 수)-(한 자리 수)

39

P 40 ~ 41

(두 자리 수) – (한 자리 수)

연산 실력 체크

25.
```
  2 5
-   3
─────
  2 2
```

26.
```
  4 7
-   4
─────
  4 3
```

27.
```
  7 4
-   2
─────
  7 2
```

28.
```
  3 0
-   1
─────
  2 9
```

29.
```
  6 0
-   3
─────
  5 7
```

30.
```
  5 0
-   6
─────
  4 4
```

31.
```
  6 2
-   9
─────
  5 3
```

32.
```
  5 3
-   7
─────
  4 6
```

33.
```
  7 2
-   8
─────
  6 4
```

34.
```
  8 3
-   5
─────
  7 8
```

35.
```
  7 2
-   6
─────
  6 6
```

36.
```
  9 4
-   9
─────
  8 5
```

37.
```
  4 2
-   7
─────
  3 5
```

38.
```
  9 2
-   5
─────
  8 7
```

39.
```
  7 8
-   9
─────
  6 9
```

**연산 실력 분석**

오답 수에 맞게 학습을 진행하시기 바랍니다.

| 평가 | 모답 수 | 학습 방법 |
|---|---|---|
| 최고예요 | 0 ~ 2개 | 전반적으로 학습 내용에 대해 정확히 이해하고 있으며 매우 우수합니다. 기본 연산 문제를 자신 있게 풀 수 있는 실력을 갖추었으므로 이제는 사고력을 향상시킬 차례입니다. 2주차부터 사고력 학습을 진행해 보세요.  **학습** [2주차] → [3주차] → [4주차] |
| 잘했어요 | 3 ~ 4개 | 기본 연산 문제를 전반적으로 잘 이해하고 풀었지만 약간의 실수가 있는 것 같습니다. 틀린 문제를 다시 한 번 풀어 보고, 문제를 자신있게 푸는 습관을 갖도록 노력해 보세요. 메스티안 홈페이지에서 제공하는 보충 학습으로 연산 실력을 향상시킨 후 2, 3, 4주차 학습을 진행해 주세요.  **학습** [틀린 문제 복습] → [보충 학습] → [2주차] → … |
| 노력해요 | 5개 이상 | 개념을 정확하게 이해하고 있지 않아 연산을 하는 어려움이 있습니다. 개념을 이해하고 연산 문제를 반복해서 연습해 보세요. 메스티안 홈페이지에서 제공하는 보충 학습으로 실력을 향상시키는데 도움이 될 것입니다. 여러분도 곧 연산왕이 될 수 있습니다. 조금만 힘을 내 주세요.  **학습** [1주차 원리 중심 복습] → [보충 학습] → [2주차] → … |

메스티안 홈페이지: www.mathtian.com

40 · A05 (두 자리 수)-(한 자리 수)

41

P 44 ~ 45

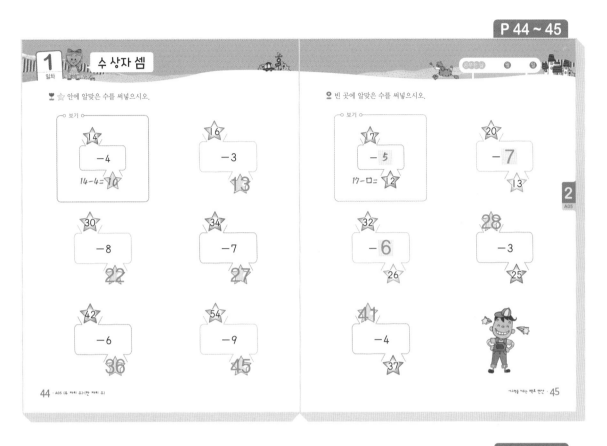

**1일차** 수 상자 셈

☆ 안에 알맞은 수를 써넣으시오.

보기
14
−4
14−4=10

16
−3
13

30
−8
22

34
−7
27

42
−6
36

54
−9
45

빈 곳에 알맞은 수를 써넣으시오.

보기
17
−5
17−□=12

20
−7
13

32
−6
26

28
−3
25

41
−4
37

2
A05

P 46 ~ 47

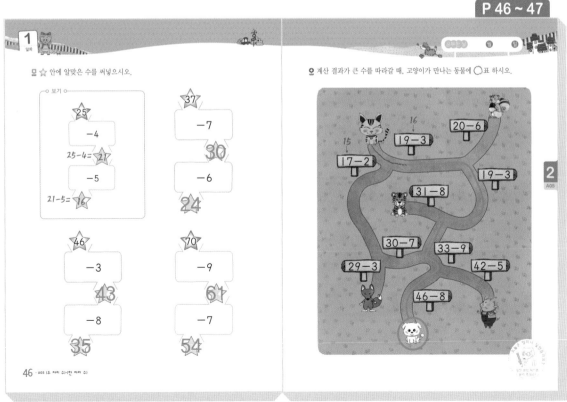

**1일차**

☆ 안에 알맞은 수를 써넣으시오.

보기
25
−4
25−4=21
−5
21−5=16

37
−7
30
−6
24

46
−3
43
−8
35

70
−9
61
−7
54

계산 결과가 큰 수를 따라갈 때, 고양이가 만나는 동물에 ○표 하시오.

15
17−2

16
19−3

20−6

19−3

31−8

30−7

33−9

42−5

29−3

46−8

2
A05

P 48 ~ 49

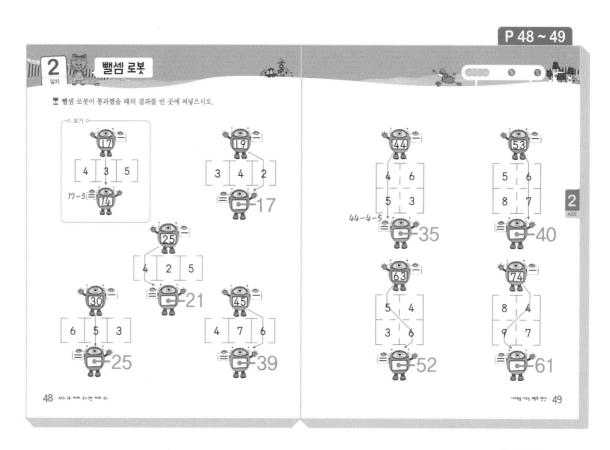

P 50 ~ 51

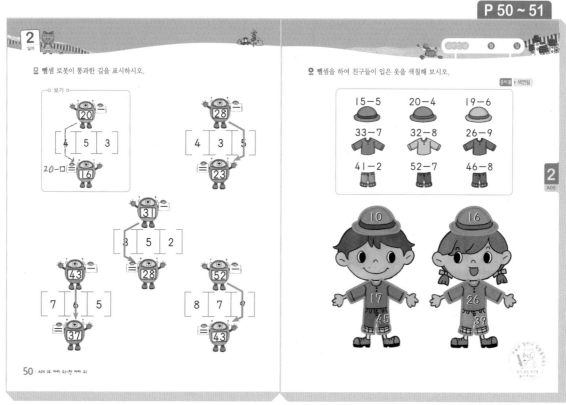

P 52 ~ 53

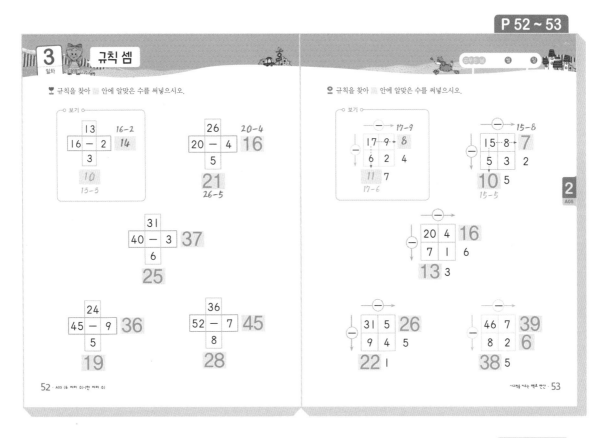

P 54 ~ 55

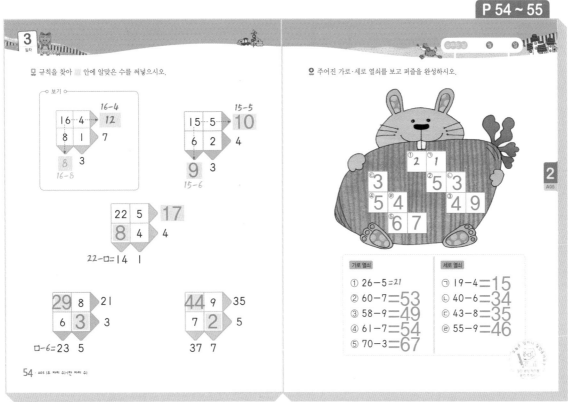

P 56 ~ 57

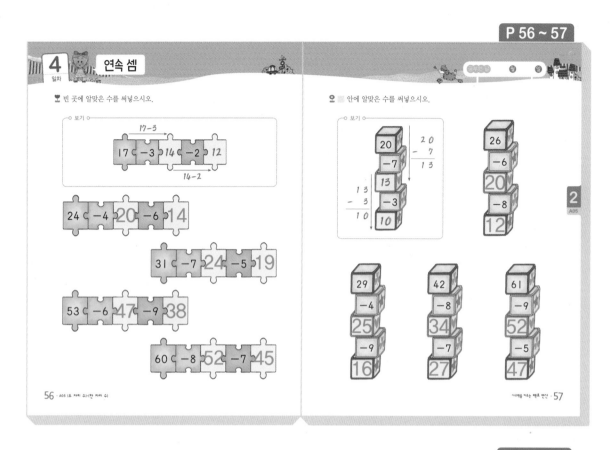

P 58 ~ 59

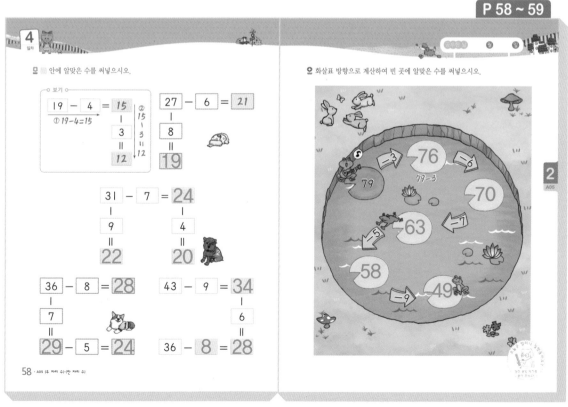

P 60 ~ 61

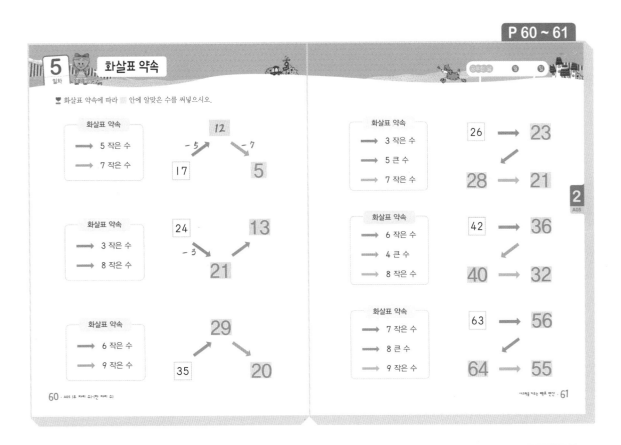

P 62 ~ 63

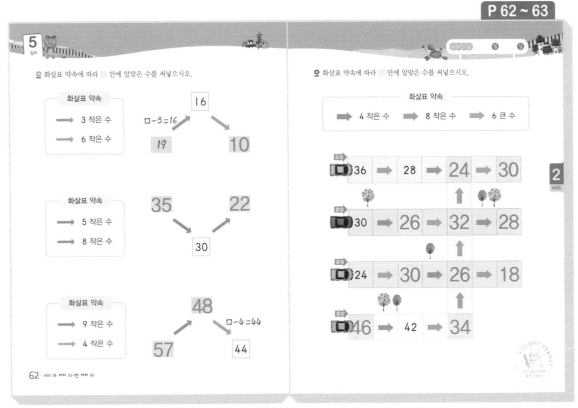

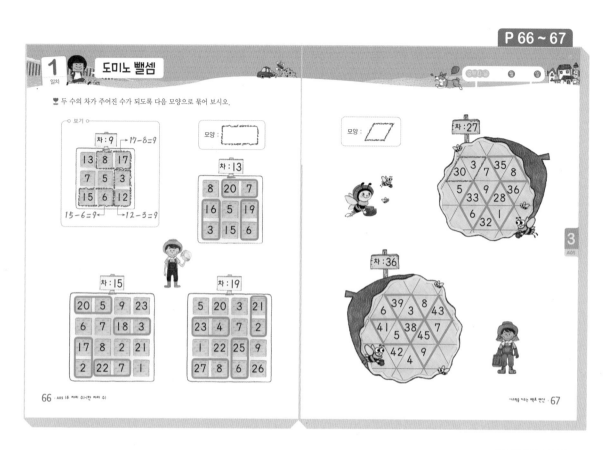

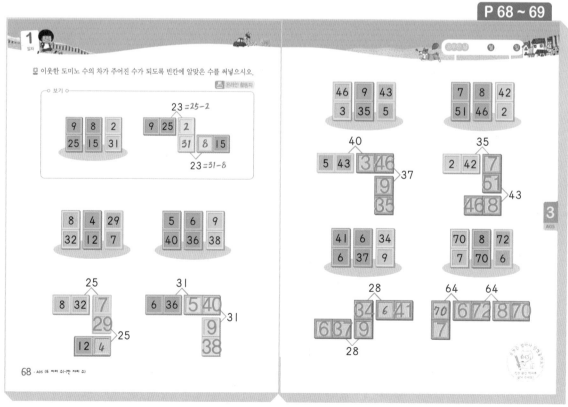

---

P 70 ~ 71

**2** 일차 성냥개비 셈

❤ ▨ 안에서 성냥개비 1개를 **빼야** 할 곳을 찾아 ✕표 하고, 올바른 식을 쓰시오.
🖱 온라인 활동지

0123456789

― 보기 ―
15 - 9 = 8 · 15 - 9 = 8

식 ➡ 15 - 9 = 6

18 - 2 = 18

식 ➡ 18 - 2 = 16

26 - 3 = 29

식 ➡ 26 - 3 = 23

30 - 8 = 2 1

식 ➡ 30 - 9 = 21

42 - 9 = 37

식 ➡ 42 - 5 = 37

46 - 3 = 42

식 ➡ 45 - 3 = 42

68 - 7 = 53

식 ➡ 60 - 7 = 53

70 · A05 (두 자리 수)-(한 자리 수)

사고력을 키우는 팩토 연산 · 71

---

P 72 ~ 73

**2** 일차

♻ ▨ 안에서 성냥개비 1개를 **옮겨야** 할 곳을 찾아 표시하고, 올바른 식을 쓰시오.
🖱 온라인 활동지

0123456789

― 보기 ―
10 - 8 = 3 · 10 - 8 = 3

식 ➡ 10 - 8 = 2

17 - 4 = 19

식 ➡ 17 - 4 = 13

23 - 3 = 28

식 ➡ 23 - 3 = 20

30 - 8 = 28

식 ➡ 30 - 2 = 28

43 - 9 = 39

식 ➡ 43 - 4 = 39

58 - 6 = 44

식 ➡ 50 - 6 = 44

68 - 9 = 57

식 ➡ 66 - 9 = 57

72 · A05 (두 자리 수)-(한 자리 수)

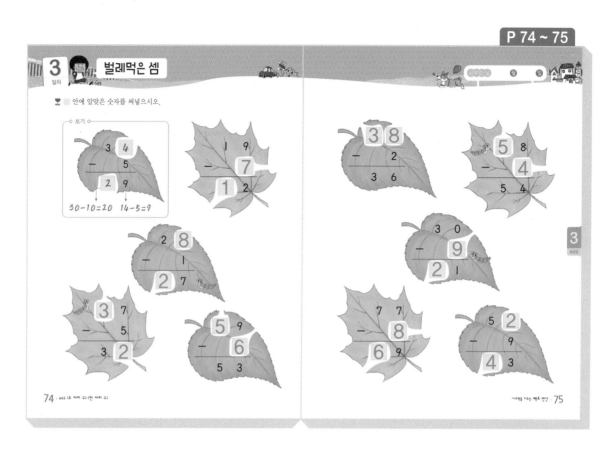

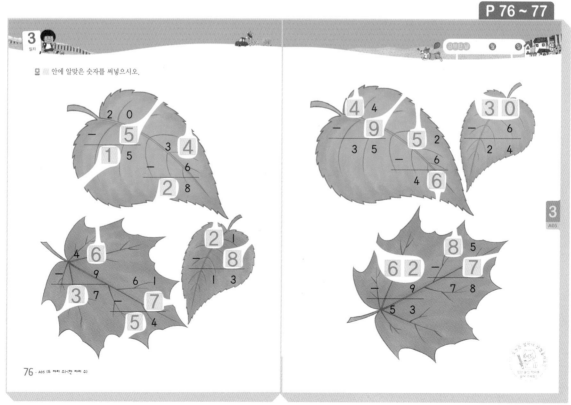

P 78 ~ 79

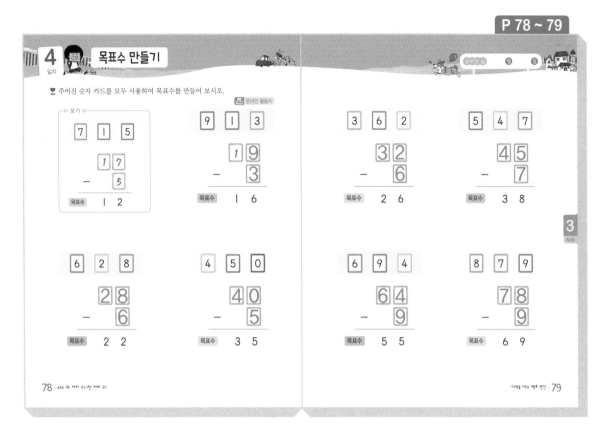

P 80 ~ 81

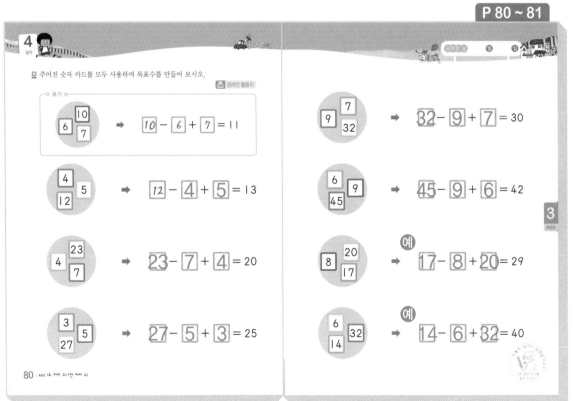

P 82 ~ 83

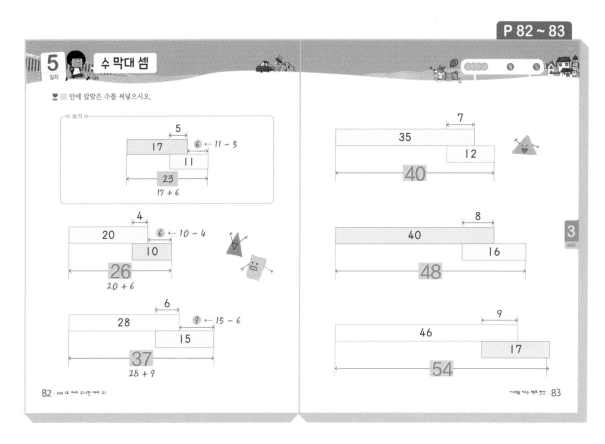

P 84 ~ 85

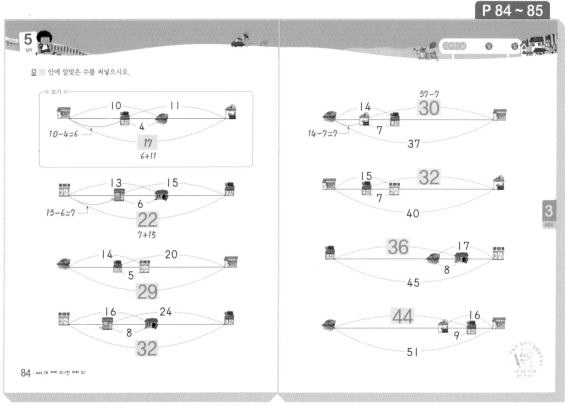

P 88 ~ 89

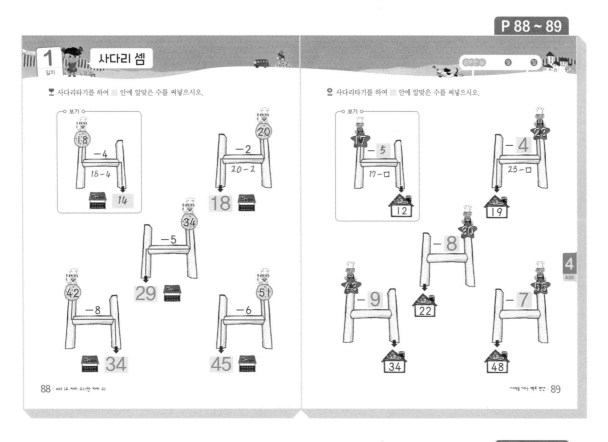

P 90 ~ 91

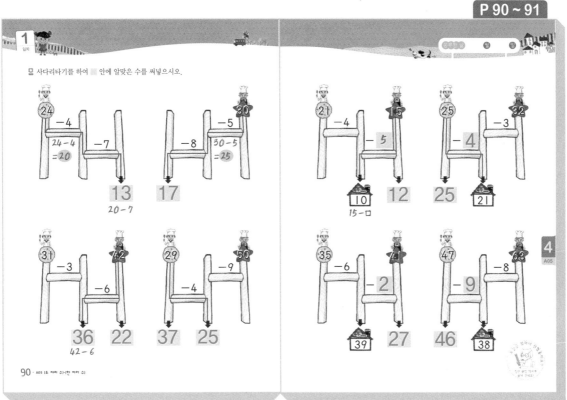

P 92 ~ 93

## 2 일차 약속 셈

약속에 맞게 식을 계산하여 ■ 안에 알맞은 수를 써넣으시오.

약속    가 ♣ 나 = 가 − 5 − 나

22 ♣ 7 = 22 − 5 − 7 = 10

28 ♣ 6 = 28 − 5 − 6 = 17

35 ♣ 9 = 35 − 5 − 9 = 21

약속    가 ♠ 나 = 나 + 9 − 가

3 ♠ 23 = 23 + 9 − 3 = 29

8 ♠ 31 = 31 + 9 − 8 = 32

92 · A05 (두 자리 수)-(한 자리 수)

약속    가 ◆ 나 = 가 − 나 − 나

27 ◆ 2 = 27 − 2 − 2 = 23

40 ◆ 5 = 40 − 5 − 5 = 30

52 ◆ 7 = 52 − 7 − 7 = 38

약속    가 ◉ 나 = 나 − 가 + 나

6 ◉ 14 = 14 − 6 + 14 = 22

8 ◉ 17 = 17 − 8 + 17 = 26

93

P 94 ~ 95

## 2 일차

약속에 맞게 식을 계산하여 ■ 안에 알맞은 수를 써넣으시오.

약속    가 ★ 나 = 가 − 나

18 ★ 8 = 10    18 − 8

25 ★ 7 = 18

30 ★ 6 = 24    50 ★ 5 = 45

43 ★ 9 = 34

약속    가 ◆ 나 = 나 + 8 − 가

3 ◆ 12 = 17    12 + 8 − 3    6 ◆ 18 = 20

7 ◆ 24 = 25    9 ◆ 47 = 46

약속    가 ♥ 나 = 가 − 나 − 5

20 ♥ 4 = 11    20 − 4 − 5    37 ♥ 9 = 23

40 ♥ 6 = 29    48 ♥ 7 = 36

56 ♥ 8 = 43

약속    가 ▲ 나 = 나 − 가 + 나

5 ▲ 10 = 15    10 − 5 + 10    4 ▲ 12 = 20

7 ▲ 16 = 25    9 ▲ 18 = 27

94 · A05 (두 자리 수)-(한 자리 수)

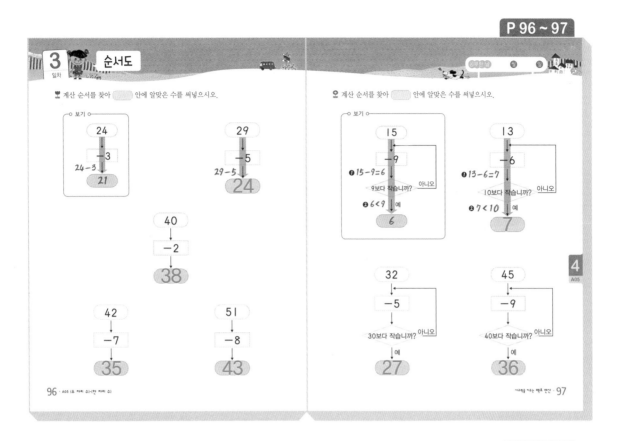

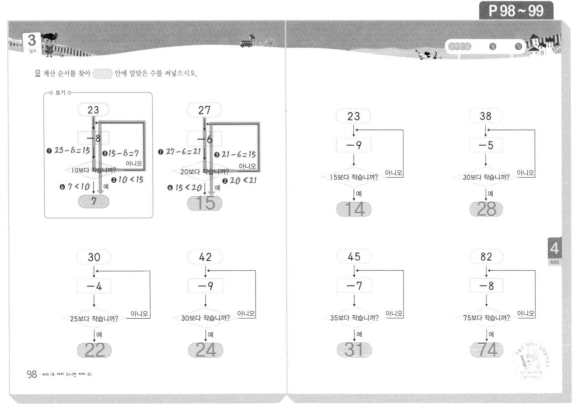

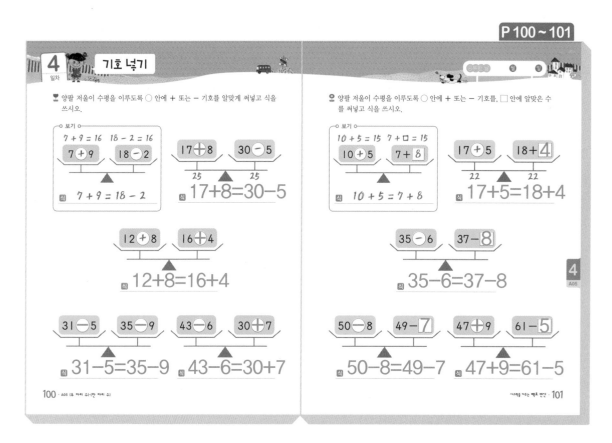

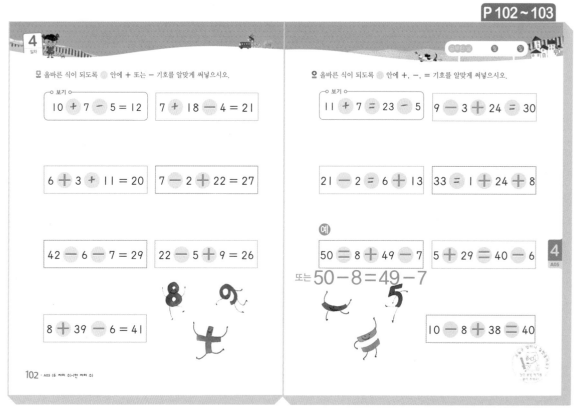

P 104 ~ 105

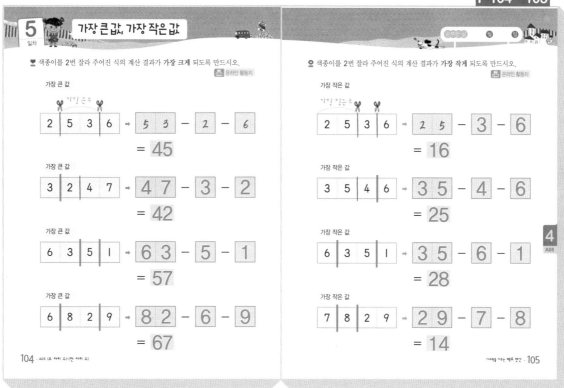

P 106 ~ 107

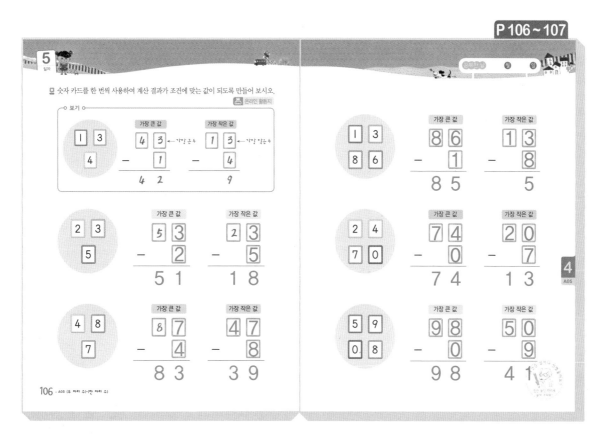

memo